LA TRAHISON DE THOMAS SPENCER

PHILIPPE BESSON

LA TRAHISON
DE THOMAS SPENCER

roman

Julliard
24, avenue Marceau
75008 Paris

© Éditions Julliard, Paris, 2009
ISBN 978-2-260-01770-7

*En souvenir « des jours heureux
où nous étions amis ».*

Every time I think of him
I just can't keep from cryin'
Cause he was a friend of mine.

Bob DYLAN,
He Was a Friend of Mine

C'est facile à retenir : Paul et moi, nous sommes venus au monde le jour où l'*Enola Gay* a balancé sa cargaison sur une ville du Japon appelée Hiroshima. Le 6 août 1945.

Un jour inoubliable.

Il n'y en a pas tant que ça.

Nous avons grandi à Natchez, à quatre-vingt-dix miles au nord de Baton Rouge. Ce n'est plus la Louisiane, pourtant. C'est déjà le Mississippi.

Le fleuve est une frontière.

Une précision, sans importance, sauf pour moi : je ne suis pas né à Natchez mais à Savannah, en Géorgie. Une des plus jolies bourgades d'Amérique avec ses bâtisses blanches, ses balcons en fer forgé, du lierre grimpant s'enroulant autour des colonnes, des jardins, des statues de bronze et de la douceur. Cela peut sembler surprenant d'en être parti (pourquoi fuir un décor de carte postale ?) ; pourtant l'explication est simple : ma mère voulait déguerpir, aller le plus loin possible, en finir avec ses vingt ans saccagés (j'en reparlerai). Le plus loin qu'elle a pu, ç'a été les rives du Mississippi. Nous y avons échoué à la fin de l'automne 1945, j'étais un nourrisson.

Nous nous sommes installés dans une maison modeste, un peu à l'écart de la ville, pas au-dehors, non, mais à bonne distance du centre, de l'agitation. Quand j'y pense, j'ai toujours vécu sur le bord de quelque chose.

La maison d'à côté (qui faisait également office d'épicerie), c'était celle de Nathan et Frances Bruder. Les parents de Paul, mon jumeau de hasard. Est-ce que je suis clair ?

Après, il n'y avait plus grand-chose. Des champs à perte de vue, des routes sinueuses qui ne finissaient nulle part, des poteaux électriques mais plus de fils pour les relier, la carcasse rouillée d'un pick-up oublié là, des hélices accrochées à des pylônes en bois, un pont délabré surplombant un cours d'eau asséché, une tranquillité lancinante.
Une peinture d'Edward Hopper.

Je me rends compte que je ne me suis pas présenté : je m'appelle Thomas Spencer. J'ai eu vingt-neuf ans avant-hier. Le président Nixon vient d'annoncer à la télévision qu'il démissionne.

Je le regarde et je me dis que le moment est venu de raconter ce qui s'est produit dans mon existence depuis le largage de cette bombe sur Hiroshima. Je sais déjà que Paul Bruder y occupera une place considérable. La première, forcément.

Jumeaux mais pas frères, donc. Oui, c'est bien ça, notre histoire.

De mes toutes premières années, il ne me reste rien. Même pas des images de ciel étoilé au-dessus de mon lit, des crissements de toupie, des odeurs de soupe ou de tarte aux pommes. Même pas des ours en peluche, le souvenir d'un tricycle, ou de cicatrices aux genoux. Rien, je vous assure. Ma vie a réellement commencé à cinq ans, un matin d'été de 1950.

C'était juillet. Le soleil sur la peau nue. Maman nous gardait, Paul et moi. Nous étions assis dans la véranda pendant qu'elle s'activait à la cuisine. Nous ne faisions pas de bruit. Je suis certain de cela, il n'y avait pas de bruit, alors que je ne me rappelle plus à quoi nous étions occupés. Une onde passait sur les herbes hautes devant chez nous comme une caresse, un vent léger et chaud qui faisait claquer les draps accrochés à une corde à linge tirée entre deux chênes et bruisser les feuilles. Soudain, Paul a relevé la tête et m'a regardé fixement. Il avait un drôle d'air, un air préoccupé. De sa voix innocente, il m'a demandé : « Pourquoi on le voit jamais, ton père ? » C'est à cette minute-là, très précisément, que j'ai compris que je n'avais pas de père, tandis que tous les autres petits garçons en avaient un. J'ai été incapable de répondre à la question de Paul. Le silence, seulement interrompu par sa phrase, est retombé aussitôt, telle une chape de plomb, qui m'a écrasé, asphyxié. Paul a continué de m'observer puis a baissé la tête et repris ses activités. Moi, j'étais dévasté. Ce sentiment, de la dévastation instantanée, ne m'a pas quitté.

Cette minute dans la véranda, alors que j'avais cinq ans, la minute de son regard ignorant et inquisiteur posé sur moi, est un moment originel, qui a causé des ravages insoupçonnables.

Que je vous dise, pour m'en débarrasser : mon père est parti avant ma naissance. Il est parti le jour exact où il a appris que maman était enceinte. Je ne porte pas son nom, mais celui de ma mère. Elle n'avait pas songé à épouser cet homme, ou plutôt elle n'en avait pas eu le temps. Il a décampé si vite. Elle ne l'a jamais revu.

Inévitablement, cela signifie quelque chose, que le tout premier souvenir d'enfance soit celui de la révélation de l'absence du père. Si je m'allongeais sur le divan d'un psy, comme on le fait un peu partout dans ce pays, j'en découvrirais sans doute de bonnes. Mais je ne me couche pas : j'écris.

Donc ma vie a commencé avec Paul. Elle s'est poursuivie avec lui, mystérieusement. Car c'était le début d'un attachement presque inintelligible.

Je ne serais pas fichu de disserter sur le hasard et la nécessité. Je sais juste que le hasard nous a jetés l'un contre l'autre et que la nécessité nous a gardés collés l'un à l'autre, voilà.

Paul avait un frère, un vrai celui-là, son aîné, prénommé Richard. Treize ans les séparaient. Une guerre aussi. Mondiale. C'est une autre guerre qui les a séparés définitivement. Le destin de Richard s'est noué, en effet, à l'aube du 25 juin 1950, quand les bataillons nord-coréens ont franchi le 38e parallèle. Nous ne nous doutions pas alors que, par ricochet, notre sort à tous les deux s'en trouverait profondément modifié.

C'est peu de temps après l'épisode de la véranda qu'on l'a vu s'en aller.

C'est curieux comme je me remémore distinctement son départ. C'était un jeune homme de dix-huit ans. Très grand. Des épaules larges. Une mâchoire carrée. Un physique de joueur de base-ball. On pourrait croire que c'est parce que je n'étais qu'un enfant à l'époque que je le voyais si grand, mais non, j'ai vérifié après coup, retrouvé des photos : il était tel que je le décris. Il portait un uniforme, un béret, un sac en toile sur l'épaule. Il souriait tandis que sa mère pleurait. Plus tard, on nous a expliqué qu'il s'était engagé, qu'il avait rejoint les troupes en Corée. À ce moment-là, nous n'avions pas compris qu'il s'en allait pour longtemps, et qu'il pourrait ne pas revenir.

Paul n'était pas triste. Et moi non plus. Nous étions impressionnés tout de même par la sévérité qui se lisait sur le visage du père. Quelque chose qui oscillait entre la fierté et la terreur. Nous sommes retournés jouer dès que la voiture emportant Richard s'est engagée sur le chemin devant nos maisons. La dernière image que je conserve, c'est celle de la poussière soulevée par la Jeep qui accélère.

Richard n'est pas revenu. Il n'a pas eu le temps d'avoir vingt ans. Il ne nous a pas regardés grandir.

Je crois que si Paul et moi nous sommes autant attachés l'un à l'autre, c'est parce qu'il nous a manqué quelqu'un ; à lui un frère, à moi un père.

Vous vous rendez compte ? Mes deux souvenirs les plus anciens sont ceux de disparus. Et on voudrait que je ne sois pas pessimiste.

Cela mis à part, l'enfance n'a pas été malheureuse. Je peux même reconnaître qu'elle a eu un goût de bonheur, si on admet que le bonheur, c'est l'insouciance, l'innocence, et une sorte d'indolence.

Le 4 septembre 1950, jour de rentrée scolaire, d'accord, j'étais terrorisé. Mais Paul était là. Et lui n'avait pas peur. Il avait son visage habituel, un visage calme, confiant, lisse. Il a aperçu mon effroi, le tremblement de toute ma carcasse. Alors il a accompli ce geste, presque incroyable chez un enfant de cinq ans : il m'a étreint, dans le seul but d'apaiser mon tremblement. Je l'ai laissé faire, gardant les bras ballants autour de son étreinte. J'ai cessé peu à peu de trembler. Après ça, il a saisi ma main et m'a guidé. La maîtresse qui nous a accueillis nous a demandé si nous étions frères. Il a répondu oui, sans ciller, sans hésiter. C'est seulement lorsqu'elle a procédé à l'appel de nos noms qu'elle a compris que Paul lui avait menti. Elle ne lui en a pas fait la remarque. Elle devait savoir qu'il y a des mensonges plus vrais que la vérité elle-même.

Songez que notre premier jour d'école, nous l'avons passé ensemble. Et tous les jours d'école qui ont suivi, jusqu'à l'âge de dix-huit ans. Je n'en ai pas tenu de comptes mais je suis certain que le chiffre de « nos jours ensemble » est impressionnant. Je ne suis pas près de le battre avec quiconque.

Et tous ces jours-là, j'ai été heureux d'y aller avec lui. Parce que je n'ai plus jamais été terrorisé. Parce qu'il m'a tenu la main longtemps. Et même quand il a cessé de le faire, il m'a semblé que je la serrais encore.

Je ne sais pas si vous avez idée de ce que ça signifie, tout ce temps partagé, sans se lasser de l'autre, sans éprouver le désir d'aller voir ailleurs. Bien sûr, on s'est disputés souvent. Nous avons même fini par nouer des amitiés distinctes. Néanmoins, nous sommes toujours revenus l'un vers l'autre. Nous n'avons jamais réussi à nous séparer longtemps.

En tout cas, jusqu'à l'arrivée de Claire.

Je devrai vous parler de Claire aussi, bien entendu. Comment faire autrement ? Mais cela peut encore attendre.

Revenons au bonheur.

Quand on habite Natchez et qu'on a sept ans, on va pêcher dans le fleuve. Paul et moi, on y est allés plus souvent qu'à notre tour.

Ce qui me surprend avec le recul, c'est de constater qu'aucun adulte ne nous accompagnait. Nos parents avaient une excuse : ils travaillaient, les Bruder dans leur épicerie, ma mère à l'hôpital public.

Et Richard était mort.

Notre chaperon, parce que nous en avions un tout de même, était un dénommé James Greenville. Je serais bien en peine de vous apprendre ce qu'il est devenu. Il est sans doute fermier quelque part dans le Sud, avec une femme et plusieurs marmots. Et sans doute il ne s'en plaint pas.

À l'époque, James devait avoir treize ou quatorze ans. C'était un de nos voisins. Un garçon un peu lent, qui ne réussissait pas bien à l'école, mais une force de la nature. Un gros gars, solide et sympathique. Il passait nous prendre et nous accompagnait jusqu'à l'endroit où nous posions nos cannes. Pas un bavard. Nous n'étions pas dérangés par sa conversation, c'est le moins qu'on puisse dire.

Il acceptait de surveiller nos lignes et nos bouchons pendant qu'on allait se balader le long du Mississippi, Paul et moi. Il faut expliquer que, si pêcher nous plaisait, l'ennui nous guettait tout de même rapidement. Nous éprouvions donc le besoin de nous dégourdir les jambes. Nous avons ainsi beaucoup marché au fil de l'eau, contemplant les bateaux, les maisons en bois blanc. Nous n'avions pas encore lu Mark Twain. Nous ignorions que tout ce que nous vivions avait déjà été raconté dans des livres.

C'est là que j'ai appris à aimer les flots boueux, ces eaux ocre que le fleuve roule inlassablement. Nous nous sommes égarés quelquefois à suivre ses méandres : au long des bras morts, autour des lagunes, les magnolias embaumaient et de la mousse espagnole tombait des cyprès, elle ressemblait à une barbe argentée flottant mollement dans l'air.

Nous parlions énormément, intarissables, au cours de ces promenades. Aujourd'hui, je serais bien incapable de restituer nos échanges, mais il s'agissait de discussions interminables, qui s'alimentaient elles-mêmes. Des discussions enfantines, quoi.

Je suppose que nous évoquions les filles qui nous intéressaient dans la cour de récréation, les matchs de base-ball que nous n'avions pas le droit d'aller voir et dont nous faisions le compte rendu comme si nous avions été installés aux premières loges, les jouets que nous commanderions pour Thanksgiving, pour Noël.

Paul mâchait des brins d'herbe au cours de nos promenades. J'avais bien essayé de l'imiter mais je n'avais pas trouvé ça à mon goût. J'avais vite renoncé. Je considérais qu'il y avait un peu d'héroïsme à se nourrir comme les vaches.

On rentrait tard. Nos pêches étaient souvent misérables mais James, qui, en plus de tout le reste, était un garçon généreux, partageait ses prises avec nous. Il assurait que ça ne se faisait pas de rentrer bredouille. Et que nous devions apprendre à rendre nos mères fières de nous. Il avait du bon sens. C'est une qualité qu'il n'a pas dû perdre.

Le dimanche, on se rendait à la messe. En rangs serrés. Ma mère n'était pas tellement croyante mais elle avait décidé de s'intégrer dans cette communauté qui, elle, l'était beaucoup. Elle s'était retrouvée très seule lorsque mon père l'avait abandonnée. Avait juré que ça ne lui arriverait plus. Elle avait donc accepté sans hésiter l'invitation des Bruder à les accompagner à l'office du dimanche matin. Très vite, c'était devenu une habitude. Pour moi aussi, bien sûr, puisqu'elle m'y a traîné dès le début. Sur le banc, j'avais ma place entre elle et Paul.

Vous pourriez croire que j'ai vécu ce rituel comme une corvée. Mais pas du tout. D'abord, j'aimais beaucoup notre église, je veux dire l'édifice. C'était une grande bâtisse blanche, toujours propre, étincelante. Pour moi, et pour toujours, le protestantisme et la blancheur sont associés. Je n'ai jamais oublié l'aveuglante réverbération du soleil contre la façade. De ce point de vue, cette église était, ce qui peut paraître logique, élue des dieux.

On gravissait les marches cérémonieusement, elles craquaient sous nos pas. Du haut de ces marches, on apercevait les champs alentour, le dénivelé d'une colline, des chênes alignés dont les branches s'enlaçaient et cette vision me rendait étrangement serein. J'avais le sentiment de dominer la terre. Plus vieux, j'ai tenté de saisir à nouveau ce sentiment, de puissance et de quiétude, je n'y suis jamais vraiment parvenu.

Il faisait frais au-dedans. Dans notre contrée, souvent écrasée par une chaleur immobile, cette fraîcheur faisait du bien. Elle nous reposait du dehors, et de ses corvées. On respirait normalement, sans être embarrassés par la sueur qui, d'ordinaire, collait nos cheveux à nos fronts et à nos tempes. Rien à dire : la maison du bon Dieu était accueillante. Un havre de paix. Une oasis. J'ai mis du temps à comprendre que le divin n'était pas pour grand-chose là-dedans.

Les Bruder étaient sérieusement en prière et connaissaient les chants religieux par cœur. Leur ferveur était visible. Leur foi indiscutable. Et je m'amusais de voir Paul tenter de les imiter. Ce qui pouvait impressionner chez des adultes était un peu ridicule chez un enfant. Pourtant, je n'osais pas me moquer de son application, de son désir de bien faire. Je louais ses efforts parce que j'en devinais la sincérité. Toutefois Paul a davantage été un chrétien appliqué et laborieux qu'un croyant touché par la grâce, ça ne fait pas de doute.

Moi, j'ai tout oublié de ce que j'ai entendu alors. Cependant, il arrivait que les sermons soient émouvants. Et la voix du pasteur était claire et souvent captivante. Néanmoins, cela glissait sur moi, sans que je retienne rien. Je devais déjà sentir que tout ça, c'était du chiqué.

Et puis, j'avais surpris, par le plus grand des hasards, le pasteur tandis qu'il s'intéressait de très près à un garçon de quinze ans à peine. J'en avais conclu, sans doute hâtivement et injustement, qu'un homme porté comme lui sur la jeune chair (ce que je ne songeais d'ailleurs pas à lui reprocher vraiment) ne pouvait pas grand-chose pour le salut de mon âme.

Dans l'enfance, il y a eu aussi des heures d'absolu désœuvrement. Curieusement, elles ne m'ont pas paru pesantes ou navrantes. Au contraire, je crois que j'avais un goût prononcé pour la paresse.

Paul et moi étions tout à fait capables de nous montrer actifs au point d'être épuisants, turbulents à en être casse-pieds. Cependant, à d'autres moments, nous nous complaisions dans une sorte d'engourdissement. Je me rappelle nos longues plages d'inactivité, d'immobilité. C'était le temps d'une impressionnante vacuité, qui venait comme un repos. Nous faisions la sieste, mais éveillés. Nous gisions, mais vivants encore.

Nos mères s'en sont inquiétées au début, je crois. Et puis, elles ont fini par s'habituer, et à mesurer tout le profit qu'elles pouvaient tirer de nos léthargies. Y gagnant une tranquillité précieuse, elles n'ont jamais véritablement cherché à nous en extraire.

Nous avons grandi avec ces instants de

recueillement. Avec cette mollesse, parfois, qui s'accordait bien à la torpeur de nos étés. Je dis recueillement et ce n'est pas tout à fait par hasard. En effet, nous n'étions pas seulement dans une indolence qui aurait pu paraître effrayante tant elle ressemblait à de l'hébétude : nous partagions quelque chose aussi, il se produisait un échange entre nous, une communion, comme à l'église, mieux qu'à l'église. Une communion secrète, mutique, mais bien réelle. Avec le recul, j'ai acquis la conviction que c'est dans ces heures inertes et silencieuses que notre amitié s'est forgée, est devenue cette chose dure, et ronde, et rassurante.

Vous savez, j'écris en mémoire de cela : l'amitié.

J'écris en mémoire de nous.

Tout de même, pour que vous n'alliez pas croire que nous étions seulement oisifs, je pourrais évoquer aussi nos batailles d'oreillers, le soir, dans la chambre : Paul ne frappait pas fort, de peur de me faire mal, mais les plumes finissaient quelquefois par s'envoler des traversins éventrés. Ou ce spectacle de fin d'année dans lequel j'étais déguisé en cow-boy et Paul en Indien : je n'ai pas réussi à le tuer, même pour de faux. Nous nous aimions, et nous empruntions des voies détournées pour le comprendre.

Je dois à l'honnêteté de reconnaître que tout n'a pas été rose au cours de ces jeunes années. Il est même arrivé que les choses ne soient guère reluisantes. Ce qui est arrivé à Todd Parker appartient aux épisodes douloureux de ma courte existence.

C'est un matin du printemps 1954 qu'ils l'ont emmené. Un matin ensoleillé, qui annonçait déjà l'été. Todd Parker habitait Natchez depuis toujours, me semble-t-il. Il ne faisait pas parler de lui, était discret, apparemment sans histoires. À croire que les apparences étaient trompeuses.

Les flics ont débarqué chez lui, sans prévenir, lui ont commandé de le suivre. D'après ce qu'on nous a raconté, il n'a pas opposé de résistance. Les gens du coin ont prétendu qu'un type qui ne résiste pas, lorsqu'on vient l'arrêter, s'il n'est pas coupable, il a au moins des trucs à se reprocher.

Il vivait seul, faisait ses courses chez les parents de Paul. On a appris plus tard qu'il travaillait pour le gouvernement. On n'a jamais bien compris ce qu'il fabriquait. Moi, en tout cas, ça ne m'a pas paru mériter une arrestation. Il était ingénieur en armement, si mes souvenirs ne me trahissent pas. Nous, on n'en savait rien. On ne connaissait pas bien les gens qui n'étaient pas de notre quartier.

Ils l'ont gardé longtemps, l'ont interrogé. C'est ce qu'on nous a rapporté. Plus tard, ils ont laissé entendre qu'il était communiste, que peut-être même, il refilait des secrets de fabrication aux Russes. Ça me faisait rêver, des histoires comme celle-ci. On a découvert après coup qu'elles étaient fausses.

À cette époque, il y avait ce sénateur du Wisconsin, McCarthy, qui dirigeait une commission. Les parents de Paul assuraient qu'il faisait un sale boulot mais un boulot nécessaire. Je n'étais pas certain de comprendre : la saleté ne pouvait pas être une nécessité. Ma mère a essayé de m'expliquer. Elle redoutait que notre pays soit devenu fou. Elle me commandait de ne pas répéter ses propos, pour que nous n'ayons pas d'ennuis. Du coup, je me taisais.

Ce qui est sûr, c'est que, sans le vouloir, j'ai été élevé dans la peur des rouges. Pour Paul, c'était différent. Il ne s'agissait pas de peur mais de haine. Il s'emparait de sa carabine, visait un épouvantail au bout du champ, et faisait mine de tirer en criant : « À mort, les rouges ! » Moi, ça me faisait rire. J'avais l'impression qu'on

jouait aux cow-boys et aux Indiens, à nouveau.
Quand j'ai grandi, j'ai arrêté de rire.

Todd Parker a fini par revenir à Natchez, ils
n'avaient rien trouvé contre lui, ils l'ont libéré
mais, pour lui, ça n'a plus été comme avant.
Vous auriez dû voir les regards en coin,
entendre les chuchotements sur son passage,
sentir la suspicion et le mépris. Il a cessé de
venir faire ses courses chez Nathan Bruder, il
percevait trop d'hostilité. Il a peu à peu cessé
de sortir de chez lui, devenant invisible. Les
indésirables sont condamnés à l'invisibilité.

Paul et moi, par défi, par jeu, par stupidité,
on allait l'observer par sa fenêtre. On s'appro-
chait de sa maison, sans faire de bruit. Des
herbes gigantesques avaient poussé devant chez
lui, qui chatouillaient les jambes. On avançait
difficilement, en levant les genoux. Quand on
était tout près, on s'accroupissait, on posait
nos mains sur le rebord de la fenêtre et on
remontait lentement. Todd Parker, le plus
souvent, lisait des journaux. Il ne faisait jamais
rien de bien intéressant. On repartait invaria-
blement déçus. C'était supposé être la demeure
d'un ogre, d'un monstre. C'était, en réalité, le
domicile sans charme d'un homme tranquille.
On était frustrés de n'avoir rien à raconter en
rentrant. Alors, on inventait des histoires. On
prétendait qu'on l'avait vu brûler des papiers,
ou passer des coups de téléphone dans une
langue qui n'était pas la nôtre. Les autres nous

écoutaient, sans jamais nous interrompre. À ce jeu-là, Paul était très fort. Il pouvait tenir une heure, à raconter des fables, qui semblaient à tous parfaitement crédibles. Il a eu ce talent très tôt, d'impressionner les gens par sa prestance.

Todd Parker a finalement déménagé, l'hiver suivant. J'ignore où il est allé habiter. C'est sans doute un vieux monsieur, maintenant. Parfois, le soir, lorsqu'il m'arrive de penser à lui, je ressens un peu de honte. Une sorte de remords. J'essaie de m'en arranger et je n'y parviens pas toujours.

Puisque j'en suis à évoquer l'étrange société dans laquelle je grandissais, il y a vingt ans, il me faut parler aussi de Franklin Carter.

Disant cela, je me rends compte que ce sont toujours des noms, des personnes qui me ramènent à l'enfance. À dix ans, les événements déterminants ne prennent pas la forme d'aventures collectives mais le visage de drames individuels. On ignore ce que sont les théories, les principes, les mythes ; on se contente d'être au plus près de l'humain.

Et, au fond, c'est cela, l'enfance : s'en tenir à quelques-uns, à des proches, des gens sur son chemin, et tenter de comprendre avec eux ce que la vie nous réserve.

Tout a commencé par une innocente partie de cache-cache. Paul et moi étions descendus nous promener du côté du fleuve, sur ces berges que nous fréquentions souvent, où on avait amarré des bateaux et abandonné des rafiots. Il y avait là des cabanons de bois où on entreposait de l'outillage agricole, des ustensiles et des appâts pour la pêche, ou encore du matériel pour la navigation. C'était une sorte de bric-à-brac toléré par les autorités, qui se doutaient bien que toutes ces implantations n'avaient rien de légal et laissaient faire parce que nous étions une petite communauté qui avait décidé de vivre paisiblement. Tout le monde savait qu'il se produisait autour de ces baraquements de menus trafics, un peu de contrebande, des commerces douteux, et tout le monde s'en accommodait. C'était le temps de la débrouille et nous n'étions pas des gangsters.

Cet ensemble permettait également à des enfants de se livrer à d'interminables parties de cache-cache, à condition d'éviter les clous rouillés et de prendre garde aux branches pourries. Ce jour-là, nous avions convié Nathan et Jimmy à se joindre à nous. Il faisait une chaleur à ne pas sortir un chien errant, mais il nous suffisait de plonger régulièrement dans les eaux miroitantes pour ne pas périr d'une insolation ou de déshydratation.

À ce jeu-là (le « cache-cache »), je n'ai jamais été très bon. Ou plutôt je considérais qu'on le pimentait en laissant filtrer des indices de sa présence. Le problème, c'est que j'en laissais tellement filtrer que j'étais découvert en moins de temps qu'il ne m'a fallu pour vous le dire. J'étais donc l'objet des railleries de mes petits camarades qui, eux, prenaient cette activité très

au sérieux, faisant là l'apprentissage de leur
futur métier d'agent secret, choisissant les lieux
les plus improbables, cessant de respirer, si
c'était nécessaire, pour disparaître tout à fait,
et ne se rendant qu'après des investigations
extraordinairement méticuleuses. Ils étaient
redoutables tandis que j'étais lamentable. Paul,
qui était le meilleur d'entre nous, était accablé
par ma nullité.

Nous n'avons pas vu arriver Franklin Carter.
Tout à coup, il a été planté devant nous, avec
sa dégaine de voyou, son sourire inquiétant,
sa peau luisante, sa salopette accrochée sur
une épaule seulement. Il nous a demandé s'il
pouvait se joindre à nous. Comme nous étions
déjà passablement excités, nous n'avons pas
hésité une seconde, le conviant dans notre
bande, et le jeu a repris avec un comparse
supplémentaire.

Seul Paul m'a paru réticent. Cette réticence
ne s'est pas exprimée en paroles, mais plutôt
par un raidissement, un froncement des
sourcils, une contrariété. J'ai décidé de ne pas
y prêter attention. Ou alors j'ai pensé qu'il
craignait un adversaire qui pourrait se révéler à
sa hauteur, un dont la duplicité serait au moins
égale à la sienne. Je ne m'y suis pas attardé.

Notre partie a duré longtemps. Paul a
finalement eu le dessus, chacun en est convenu.
À la fin, nous nous sommes tous couchés dans
l'herbe, ruisselants de sueur, vibrants de fatigue,

joyeux et repus. On entendait juste le bruit lourd de nos respirations, le soulèvement de nos poitrails, et des rires qui s'échappaient.

Nous sommes allés nous baigner pour nous rafraîchir, sautant tous au même moment pour provoquer une immense gerbe, et nous sommes ébattus un bon moment dans l'eau froide et verte.

Après nous être rhabillés, nous sommes rentrés chez nous, où nos mères nous attendaient, un peu inquiètes d'une aussi longue absence, sous un soleil aussi violent.

L'inquiétude de Mrs. Bruder a cédé tout de suite la place à un courroux. On a tous vu nettement son visage s'empourprer, son regard devenir sombre et méchant. Elle a empoigné Paul et l'a fait rentrer de force à l'intérieur de la maison devant notre pauvre cohorte médusée et embarrassée. Il y a eu cela, une violence surgie d'on ne savait où, et qui nous a paru incompréhensible ou au moins disproportionnée.

Nous nous sommes dispersés et j'ai à mon tour rejoint ma mère, sur le perron. Je lui ai expliqué que nous nous étions bien amusés et que j'espérais qu'elle n'était pas fâchée comme l'était la mère de Paul. Je lui ai glissé aussitôt que je ne comprenais d'ailleurs pas pourquoi elle s'était montrée si fâchée. Maman m'a simplement répondu qu'il fallait se garder de fréquenter le petit Carter. Comme je lui demandais la raison de cette interdiction, elle a eu ces mots, qui sont restés pour toujours gravés dans ma mémoire : « Mais parce que Franklin est noir, mon chéri. »

Voilà, à dix ans, j'ai appris, en une seule phrase, prononcée sur un ton désolé et néanmoins badin, tout le racisme du Sud.

Je ne vais pas en faire des tonnes sur le sujet. Vous avez vu ça à la télé, vous l'avez lu dans les livres, vous connaissez l'histoire. Je veux juste vous expliquer que cette phrase m'a anéanti. Parce qu'elle m'a fait détester ma mère pour la première fois. C'est un basculement effrayant, formidable, fondateur parfois, lorsqu'un enfant cesse, ne serait-ce qu'une seconde, d'aimer sa mère. C'est un monde qui s'écroule, l'innocence qui se perd, c'est la première rencontre avec la souffrance. Cette détestation qui m'est venue, qui s'est emparée de moi, dans une bouffée, même si elle n'a pas condamné l'amour que je porte à ma mère, m'a déstabilisé davantage que je ne saurais l'exprimer. Elle m'a envoyé valdinguer. Quand j'ai repris mes esprits, je n'étais plus le même. J'étais couvert d'ecchymoses invisibles.

Cette réplique a eu un mérite, celle de me faire choisir mon camp, une fois pour toutes. De toute façon, c'était quitte ou double. Soit on admet une sentence pareille et on vit peinard, avec l'exécration de tout ce qui est différent de soi. Soit on la refuse et on se prépare, sans même le pressentir, à des combats de tous les instants contre la bêtise, mais au moins on n'est pas confiné dans la méfiance et le mépris. À dix ans, j'ai pris ma décision, sans réfléchir, sans comprendre. Cela a été une décision sensuelle, charnelle. Aucune intelligence là-dedans. Que des viscères, et du sang qui cogne. Moi, je m'étais bien amusé avec Franklin Carter.

Le Mississippi a toujours eu un problème avec les Noirs. Partout, il reste des traces de la présence des esclaves et l'on sent bien que certains d'entre nous regrettent le temps béni des asservis. Aujourd'hui, malgré les lois, il arrive encore qu'on change de place dans le bus pour ne pas accepter à ses côtés l'homme de couleur.

Pourtant, ce qui est drôle – et donc paradoxal – avec le Mississippi, c'est qu'il a connu, et cela peu de temps après l'épisode de ma partie de cache-cache, son heure de gloire avec un jeune homme de Tupelo, qui se déhanchait comme une femme, et chantait « comme un nègre », justement. Il s'appelait, il s'appelle toujours, Elvis Aaron Presley.

On peut prendre l'affaire comme ça nous arrange. Certains observent que nous n'avons toléré le rhythm and blues que lorsqu'il a été porté par un Blanc et que nous avons pillé l'âme des Noirs sans vergogne et sans nous compromettre avec eux. Et ceux qui expliquent que faire sortir la musique nègre du ghetto par un type du Sud profond a été un sacré pied de nez aux ségrégationnistes. Je ne tranche pas, parce que je crois qu'au fond il ne s'agit pas de ça. Elvis est juste un gars qui chante, et c'est seulement le hasard qui l'a fait naître par chez nous. Mais bon, ce hasard me plaît.

Soyons clairs : Tupelo n'existe pas. Défie l'entendement, en tout cas. Si Natchez est, à certains égards, une ville curieuse, Tupelo est une bourgade improbable. Pas la peine de vous y rendre en pèlerinage. Vous seriez déçus. Des maisons sans aucun charme, qui s'emboîtent n'importe comment, des routes qui ne mènent nulle part, des pelouses cramées par la sécheresse, des boutiques aux vitrines presque vides, des autochtones qui rôdent comme des fantômes, des drapeaux fatigués sur les édifices officiels, des églises aux murs écaillés. On pourrait penser que j'exagère, mais non. Tupelo ressemble à une ville que les hommes auraient abandonnée, par lassitude. Les gens d'ailleurs l'appellent le « trou du cul de l'Amérique ». Ils n'ont pas tort. Ça n'empêche pas de produire un génie.

Évidemment, aujourd'hui, on a du mal à croire que ce type bouffi d'alcool, engoncé dans ses costumes à paillettes, le visage grêlé, mangé par des rouflaquettes et par la transpiration, les hanches débordant de graisse, ait pu être, un jour, ce garçon mince, habillé de cuir noir, dégageant une sensualité torride, bougeant comme personne, avec une voix veloutée et indécente et un sourire adolescent. Mais peut-être est-ce ainsi que les types du Mississippi doivent finir. Peut-être est-ce ainsi que nos jeunesses s'égarent.

Au cours de l'été 1956, j'ai poursuivi mes découvertes. Sur la devanture de l'épicerie des Bruder, j'avais repéré un calicot sur lequel il était inscrit « *I like Ike* ». Paul, que j'avais interrogé, n'avait pas su me répondre. Il trouvait comme moi que la formule sonnait bien, même si nous ne la comprenions pas. Du coup, assis sur le perron de la boutique, ou nous balançant dans un rocking-chair, il nous arrivait d'agiter de petits drapeaux sur lesquels s'inscrivaient ces trois mots magiques. Certains clients nous regardaient avec amusement, avec connivence. D'autres se montraient plus circonspects.

C'est maman qui m'a fourni l'explication, puisqu'il est établi que ce sont nos mères qui nous font grandir. Elle m'a appris que Ike était le surnom d'un général qui était aussi notre président. Je n'ai pas saisi alors comment on pouvait exercer deux métiers à la fois, surtout aussi différents et peut-être même contradictoires. De surcroît, je n'ai pas retenu son nom de famille, qui m'a paru abominablement compliqué. Ike, il n'y a pas à dire, était beaucoup plus simple à prononcer.

Quelques jours plus tard, maman m'a montré sa tête sur un magazine rapporté de l'hôpital. C'est le premier numéro de *Life* que j'ai feuilleté. C'est aussi la première fois que j'ai vu la tête d'un président des États-Unis. Cette tête-là ne m'a guère plu. Je lui ai trouvé un air inquiétant. Et puis les chauves sont souvent les méchants dans les histoires qu'on raconte aux enfants.

Le lendemain, j'ai refusé de me joindre à Paul quand il m'a tendu un fanion frappé du surnom du monstre. De toute ma vie, je n'ai jamais voté républicain.

Ma rebuffade à l'endroit de Paul a constitué un précédent. Je sais maintenant qu'il survient inévitablement une circonstance dans laquelle deux êtres intimement liés, qui partagent tout au point de ne même pas envisager de se disputer, se séparent, même provisoirement, même pour un détail. Eisenhower a été la cause de notre première brouille. Avec le recul, cette façon d'énoncer les choses me fait sourire, bien sûr. Mais c'est un sourire qui me défigure, qui pourrait m'arracher des sanglots. Tout ce qui me rappelle, de près ou de loin, un dissentiment entre Paul et moi me plonge aussitôt dans une affreuse tristesse. Je mesure désormais assez précisément la proportion de culpabilité qui entre dans cette tristesse.

À part ça, l'enfance a été douce. Oui, décidément, le souvenir du bien-être et de l'insouciance l'emporte sur tout le reste. Bien entendu, j'ai appris que nous embellissons volontiers cette période de notre vie, que nous décidons aussi, consciemment ou pas, d'en éliminer ou d'en estomper tous les épisodes pénibles ou cruels ou amers, que nos mères sont là enfin pour nous rappeler combien cette saison innocente est forcément un âge d'or. Pourtant, à la fin, quand j'établis les comptes, je persiste à croire qu'en effet j'ai été vérita-blement heureux dans cette première moitié des années cinquante.

Ou bien j'affirme cela parce que je suis obligé d'admettre que je serais incapable aujourd'hui de prétendre au bonheur. Si je considère le dégoût que m'inspire le temps présent et cette sorte de désenchantement dans lequel je suis plongé, le passé m'apparaît, par contraste, une époque bénie.

Quand est-ce que cela commence, l'adolescence ? Avec le corps qui change ? avec les
désirs qui assaillent ? avec le malheur qui pointe
le bout de son nez ? Existe-t-il un âge ? un
moment ? S'agit-il d'une frontière qu'on
franchit ? À bientôt trente ans, je ne suis
toujours pas fichu de répondre à ces questions.

Comme j'ai le goût des dates et que je crois
depuis longtemps que l'Histoire, celle qui
s'écrit avec une majuscule, nous accompagne
dans les grandes étapes de notre vie, j'ai
tendance à envisager que ce sont les événements
du dehors qui nous fournissent des repères et
décident même parfois du cours de nos
existences.

En l'occurrence, je pourrais vous expliquer
que cet étrange engin lancé dans l'espace par
les Russes – par les Russes, vous vous rendez
compte ? par les Russes et pas par nous ! – a
tellement marqué mon esprit qu'il me serait
possible d'en faire un point de départ à quelque

chose de neuf, quelque chose que j'appellerais, formant un tout indivisible, la démesure et la vulnérabilité. Et l'adolescence, est-ce autre chose que cela, de la démesure et de la vulnérabilité ? Le spoutnik nous a appris, dans le même mouvement, que tout était désormais possible et que nous étions en danger. La comparaison avec ce qui m'attendait prend alors tout son sens.

Pourtant, c'est une affaire beaucoup moins sérieuse – maintenant j'en suis certain – qui a provoqué mon basculement. La césure est venue, tout bêtement, d'une conversation avec ma mère. Je suis aujourd'hui tenté, en effet, de considérer cette conversation comme l'entrée dans cet âge qu'on prétend ingrat.

Maman rentrait de plus en plus tendue de l'hôpital, de plus en plus épuisée aussi. C'était sur elle, cet épuisement. On aurait dit qu'elle portait un fardeau, chaque jour plus lourd. Je voyais ses traits se creuser, son visage s'affaisser, et une sorte d'abattement s'emparer d'elle.

Au début, je n'ai pas posé de questions. Quand un enfant observe une telle faiblesse chez sa mère, son premier réflexe, le plus souvent, est de se taire, de garder ses questions pour soi. On n'ajoute pas l'inquisition à l'éreintement. On suppose qu'en gardant le silence on laisse croire qu'on n'a rien remarqué.

Cependant, sa lassitude est devenue trop

visible. Un soir, je suis allé vers elle et lui ai simplement demandé comment elle allait. Un fils qui demande à sa mère comment elle va accomplit un pas de géant, il grandit d'un coup, il se sent les épaules pour prendre le malheur avec lui.

D'abord, elle s'est contentée de me sourire faiblement, de caresser mes cheveux et de me mentir. Je me rappelle son extrême indulgence, la bonté qui émanait de tout son être ; un désespoir.

Alors, j'ai insisté. Sans un mot. Sans un geste. Juste en soutenant son regard, comme le font les grandes personnes. Elle a été impressionnée par ce regard planté sur elle, par sa fixité, sa persévérance. Ça se voyait, son étonnement, son effroi presque.

Elle aurait pu refuser de parler, me renvoyer dans ma chambre : j'aurais obéi. J'ai mis beaucoup de temps à devenir désobéissant. À ce moment-là, je ne concevais même pas d'aller contre sa volonté. C'est son « veuvage » qui la protégeait, sa solitude. On s'attache à ne pas blesser davantage une personne enkystée dans une telle solitude. Et puis, c'était ma mère, et je l'aimais, voilà.

Pourtant, elle ne m'a pas commandé de la laisser en paix. Elle m'a, au contraire, prié de m'approcher et, tout doucement, a commencé à me faire part de ses soucis. Elle a tout mis sur le dos de l'hôpital. Prétendu que son métier était exténuant parfois, qu'il fallait beaucoup de courage et de résistance, certains jours, que ça lui coûtait, que c'était un labeur, un vrai. Elle m'a expliqué que les malades n'étaient pas toujours faciles, les infirmières pas assez nombreuses, le matériel pas à la hauteur.

Et puis, elle m'a parlé de la mort.

Je ne savais pas ce que c'était. Enfin, pas vraiment.

Bien sûr, on m'avait expliqué que Richard, le frère de Paul, était mort pendant la guerre, en Corée. Mais j'ignorais où cela se trouvait, moi, la Corée. Et on ne m'en avait pas raconté davantage. J'avais simplement retenu que Richard était parti et que je ne l'avais jamais revu. Comme il était beaucoup plus grand que nous et que je n'avais pas agrégé de souvenirs avec lui, sur le moment, cette disparition ne m'avait pas paru tellement grave.

La seule chose qui m'avait réellement touché, c'était la peine de Paul. Un chagrin immanquable. Paul avait pleuré, pendant des heures, le jour où le télégramme était arrivé. Et puis, il avait été maussade pendant plusieurs semaines. Et puis, c'était passé. Nous avions repris nos jeux, nous étions retournés à la pêche, le Mississippi avait continué de couler comme avant.

À douze ans, avec les paroles de ma mère, j'ai enfin compris.

J'ignore si une mère doit parler de ces

choses-là à son enfant, comme la mienne l'a fait, avec autant de détails, autant de précision. Elle prend le risque de le traumatiser. De lui flanquer des peurs qui le hanteront longtemps. Maman s'est-elle posé ces questions ? Ou était-elle seulement trop lasse, ce jour-là ?

Elle m'a dit les blessés amenés sur des brancards, défigurés par un accident, sanguinolents, insauvables, ceux qui n'en ont plus pour longtemps, qu'on éponge, qu'on intube, qu'on ventile, en sachant que tous les gestes sont inutiles.

Elle m'a dit les jeunes gens aux membres arrachés dans une collision, au corps mutilé, à vif, et qui ne remarcheront jamais, qui n'auront plus jamais une existence normale si par miracle ils échappent au mauvais sort.

Elle m'a dit les vieillards qui agonisent, blancs comme des cadavres déjà, dont on devine précisément le squelette sous la peau si fine ; les femmes qui perdent la tête, appellent au secours, deviennent méchantes ; les hommes qui reprennent la position du fœtus, se recroquevillent en attendant la fin.

Elle m'a dit les enfants malades, dont tous les cheveux sont tombés, dont le sourire dévore le visage, dont les bras sont percés de perfusions, qui cessent de lutter et tentent de donner du courage à ceux qui leur survivront, à ceux qui restent.

Elle m'a dit tout cela, et bien d'autres choses

encore, qui m'ont foudroyé, terrorisé, et fait de moi cet incurable pessimiste qui aime la vie.

Je ne lui en veux pas, de ses confessions monstrueuses. Au contraire. J'ai retenu la leçon qu'elle m'a administrée.

Le lendemain, je me suis engouffré dans les bras de Paul en lui faisant promettre qu'il ne devrait jamais s'éloigner de moi, jurer que nous ne serions jamais séparés. Il m'a observé, interloqué, interdit. Et, sans demander d'explications, il a promis, juré.

Aujourd'hui, je sais qu'à cette époque, ma mère était malheureuse.

C'est peu de temps après notre conversation, peut-être deux mois, que je l'ai aperçue, attablée au café de Randell Barnes.

Je rentrais de l'école, Paul marchait à mes côtés, nous bavardions de choses frivoles, envisageant de nous mettre à la guitare pour imiter ce type, Eddie Cochran, qui jouait sur une Gibson, et je l'ai aperçue, par hasard. Je suis sûr qu'on se figure parfaitement la stupeur qu'un gosse de treize ans ressent lorsqu'il découvre, sans s'y attendre, sa mère dans un bar. Moi, ça m'a stoppé net. Ça m'a coupé le souffle.

J'ai eu la sensation nauséeuse de percer à jour une turpitude jusque-là dissimulée. Ou de pénétrer dans une chambre au moment le plus inopportun.

Paul, tout d'abord, n'a pas compris pourquoi j'interrompais ma marche. Il a continué son chemin, pris de l'avance sur moi et fini par se retourner. Alors qu'il se préparait à me sonner les cloches, il a observé que je regardais dans la direction du café. Détournant les yeux à son tour, il a vu ma mère. Comment oublier la honte et le dégoût qui se sont dessinés, en un éclair, dans son expression ? Toutefois, son embarras s'est dissipé aussitôt. Comme si les parents étaient exempts de tout jugement de valeur. Et parce que notre amitié l'emportait sur toute autre considération. Et puis, il convenait de me soutenir dans cette épreuve.

Ma mère était là, installée sur une des banquettes en skaï rouge, seule. Devant elle, posée, une tasse fumante, sur laquelle elle refermait ses mains. Elle avait la tête baissée, semblait songeuse. Mon premier réflexe a été de vouloir la rejoindre, entrer dans le bar, me planter devant elle, lui demander ce qu'elle fabriquait là, lui intimer l'ordre d'en sortir. Mais, au moment où j'allais m'exécuter, un homme s'est approché d'elle, un homme que je ne connaissais pas, et il s'est assis de l'autre côté de la table, sans même solliciter sa permission. Alors, ma mère a relevé la tête et s'est mise à parler avec l'inconnu. Il ne m'a fallu que quelques secondes pour comprendre qu'elle attendait cet homme, qui revenait sans doute des toilettes ou de la cabine téléphonique. La serveuse a tendu sa cafetière dans sa direction, il a acquiescé d'un seul clignement des yeux. À cette seconde précise, Paul a glissé sa main dans la mienne et a lancé : « Viens, on rentre. »

Je me suis détaché de son emprise et je suis resté immobile sur le trottoir d'en face, à contempler l'intérieur du café. J'ai vu ma mère sourire, remettre un peu d'ordre dans sa chevelure, jouer avec le sucrier, écouter l'homme lui raconter je ne sais quelle histoire.

Je me souviens parfaitement du visage et de l'allure de cet homme. C'est stupéfiant comme la photographie est nette. Il était blond, la peau claire, les traits fins. Il avait des épaules rondes. Il portait une chemise de lin beige. Je dois admettre qu'il était beau. Il est devenu d'une absolue laideur à l'instant où il a posé ses doigts sur la joue de ma mère.

C'est Paul qui m'a retenu de courir chez Barnes. Il s'est placé devant moi, barrant le passage, il n'a pas eu besoin de me toucher, il a juste murmuré : « Tu n'as pas le droit de la juger. Et puis, on est des gens sans histoires. » C'étaient des mots d'adulte, vous comprenez ? Des mots incongrus dans sa bouche : ils m'ont décontenancé, ils ont fait le poids face à ma colère et à ma honte. Nous sommes rentrés à la maison, dans un silence inégalable.

« Tu n'as pas le droit de la juger. Et puis, on est des gens sans histoires. »

Quelques jours plus tard, maman m'a demandé si je verrais un inconvénient à ce qu'elle « fréquente » un homme. J'ai répondu oui, sans hésiter, sans ciller. Oui, j'y voyais un inconvénient. Nous n'en avons plus jamais parlé.

La méchanceté d'un garçon de treize ans est inouïe. Son exigence, coupante. Son arrogance, sans limites. Son incapacité à abdiquer ses droits, flagrante. Avec le recul des années, il m'est arrivé de regretter mon intransigeance, mon intolérance. Il aurait fallu, bien sûr, ne pas se montrer aussi intraitable, aussi égoïste.

Il demeure ceci : j'ai fait souffrir ma mère, la privant d'une seconde chance, d'une autre vie peut-être, en une réplique. Elle s'est inclinée en une seconde. Elle n'a pas discuté mon diktat, elle a courbé l'échine, ne l'a plus jamais redressée.

Je me suis cherché des excuses. Je m'en suis parfois trouvé. Je crois encore qu'un enfant sans père ne tolérera jamais la présence d'un remplaçant dans son existence. Un enfant qui n'a que sa mère n'admettra jamais de la partager. C'est tout. Et c'est bien peu. Et c'est sûrement une erreur.

Même ma souffrance, cette souffrance invisible, insoupçonnable, indicible, reçue à la naissance, même elle n'efface pas ma faute.

Qu'on se rassure : il est arrivé des choses plus gaies dans mon existence à cette époque-là. Il est arrivé Mary Edwards. Mon premier flirt sérieux. On disait flirt alors. Je serais bien incapable de citer le mot exact aujourd'hui, celui qui définit cette occupation charmante et angoissante qui consiste à penser toute la sainte journée à la même personne et à redouter de la perdre.

Bien sûr, j'avais connu des aventures avant Mary Edwards. J'avais été éperdument amoureux au moins deux ou trois fois. Ces histoires duraient généralement toute une année scolaire et mouraient avec l'été quand advenait le moment de se séparer pour partir en vacances. Certaines avaient été enflammées. Me reviennent en mémoire des déclarations péremptoires, des droits de propriété reconnus sur de toutes jeunes filles qui n'en demandaient pas tant ou ne s'en doutaient pas, des petits mots qu'on s'échangeait à la récréation, et des baisers qu'on se déposait sur la joue pour se donner l'air important. Ce qui était plaisant dans ces amours, c'est qu'elles n'étaient jamais compliquées ni perturbantes. Elles avaient au contraire quelque chose de naturel, de frais, et étaient miraculeusement préservées de tout questionnement existentiel.

Mais enfin, avec Mary Edwards, un cap était franchi. Je veux dire par là qu'elle m'en a fait voir.

Je n'ai toujours pas compris pourquoi les garçons vont vers les filles, pourquoi ils ne peuvent pas s'en empêcher, alors que les garçons et les filles n'ont rien en commun, ce sont des espèces radicalement opposées, irréconciliables. Pourtant, le miracle se produit chaque fois, il se reproduit depuis des millénaires.

Il m'arrive d'envier les garçons qui préfèrent les garçons. Il me semble que ce sont eux qui ont raison. Ils ne fournissent pas nos efforts. Ils se dirigent vers leurs semblables. N'essaient pas de s'entendre avec des êtres à qui ils n'ont rien à dire. Ils cèdent à la facilité, à l'évidence. Je dis céder mais il ne s'agit pas d'un verbe péjoratif sous ma plume. Ils s'abandonnent plus qu'ils n'abdiquent. Je n'ai pas leur chance.

Donc, si je n'ai toujours pas réussi à percer ce mystère immémorial, je suis en revanche tout à fait apte à expliquer pourquoi je suis allé vers Mary.

Il y a une dimension rationnelle d'abord. Mary Edwards était à peu près la plus belle fille du monde. Vous imaginez ça ? La plus belle fille du monde habitait la ville de Natchez, Mississippi, en 1958. C'est incroyable, non ?

Une chevelure noire, longue, tressée la plupart du temps. Des yeux verts qui paraissaient scintiller. Oui, des yeux comme des étoiles. Un teint de porcelaine. Des joues rebondies. Une sorte d'Elizabeth Taylor à l'orée de l'adolescence : pas mal, n'est-ce pas ?

Bon, ça c'est pour le haut. Le reste était aussi très bien. Elle avait la minceur des petites filles mais n'en était pas moins élancée. J'ai d'abord cru qu'elle était danseuse. Je n'en connaissais aucune mais je présumais qu'une danseuse devait ressembler à ça. Mary ne dansait pas. Mais elle embrassait merveilleusement.

Car c'est cela, bien sûr, qui a mis Mary à part de toutes celles qui l'avaient précédée. Je dis à part, je devrais plutôt dire cent coudées au-dessus. Pas très loin du ciel.

Je me rappelle le goût salé de sa bouche, de la salive qui passait parfois entre ses lèvres et laissait une trace humide sur les miennes. La douceur de sa peau sous mes doigts quand je me risquais à caresser sa joue. Ses étreintes aussi, qui étaient souvent plus hardies que les miennes.

Mais je vais trop vite en besogne. Revenons sur mon état d'esprit à la veille de ce basculement.

D'après ce que j'en savais, il revenait aux garçons de séduire les filles. Ils jouaient les durs tandis qu'elles faisaient des simagrées. Ils s'emportaient lorsqu'à leur première tentative ils se faisaient éconduire, et abdiquaient tout machisme dès qu'elles consentaient à les laisser s'approcher. À la fin, l'affaire était faite. Ils étaient amoureux, le seraient pour la vie. Et ça durait une semaine.

Néanmoins, une semaine d'amour fou, c'étaient des mois à avoir des trucs à raconter aux copains. Sans compter tout ce qu'on inventait.

Donc je me préparais à une phase de séduction tout ce qu'il y a de plus classique avec cette Mary que j'avais repérée dès le premier jour, comme tous les autres garçons de l'école, du reste.

Pas tous en fait, j'exagère. Fred Pullman ne l'a pas regardée. Il faut préciser qu'il portait des lunettes à double foyer et que seuls les devoirs de mathématiques semblaient l'intéresser. David Grant ne lui a pas fait les yeux doux non plus. J'ai appris beaucoup plus tard qu'il appartenait précisément à cette communauté bénie des dieux, dont je faisais l'éloge tout à l'heure. Lui, le savait-il à ce moment-là ?

Sinon, tous mes petits camarades étaient à pied d'œuvre. Pourquoi Mary m'a-t-elle choisi ? Je serais bien en peine de le déterminer.

Toujours est-il qu'un jour, alors que j'envisageais seulement de commencer mes travaux d'approche, elle s'est campée devant moi, m'a expliqué que j'étais tout à fait le type de garçon avec qui elle voulait « sortir » et que je devais lui dire oui ou non, là, tout de suite, sans réfléchir, sans attendre. J'ai répondu oui. Je n'avais jamais été brutalisé à ce point, cependant j'ai consenti, sans hésiter, à cette brutalité.

N'allez pas en déduire que Mary était une fille portée sur la bagatelle. On ne lui avait connu aucun petit ami jusque-là et la suite a démontré qu'elle élisait ses compagnons avec beaucoup d'exigence. Cela ne fait d'ailleurs qu'ajouter à ma fierté. Rétrospectivement.

Donc, va pour un premier grand amour. Autant l'avouer tout de suite : il m'a donné le vertige. J'étais fragile. Il y a des grandes gueules qui affrontent vaillamment les autotamponneuses à la fête foraine, recherchent la confrontation même, ne ferment pas les yeux dans les virages. Des types qui cognent comme des sourds dans la boule de cuir pour mesurer leur force et refusent la barbe à papa qu'on leur tend en expliquant avec dédain qu'ils ont passé l'âge. Des qui parlent fort, mettent des tapes dans le dos et marchent avec les jambes écartées. Je n'étais pas de ce genre-là.

Maintenant que j'ai davantage l'expérience des femmes, je suppose que c'est ce qui a plu à

Mary. Elle, elle était du genre à aller vers le moins évident, le plus impensable. Et à préférer les garçons chétifs qui ne la ramenaient pas aux gars baraqués qui l'observaient comme un trophée.

Nous avons formé un « couple », elle et moi, pendant deux mois et quatre jours exactement. Cela a commencé le 4 novembre 1958 pour s'achever le 8 janvier 1959. Vous vous demandez sans doute comment ma mémoire peut être aussi nette. En vérité, je n'ai pas tellement de mérite. Le 4 novembre, c'est l'anniversaire de ma mère. Et le 8 janvier 1959, c'est le jour où Fidel Castro est entré dans La Havane. L'éclosion du communisme à cent miles de nos côtes, c'est un beau repère pour une fin, non ?

Ces soixante-cinq jours avec Mary, je les décomposerais de la manière suivante : quinze jours d'amour béat et aveugle, quinze jours de tendresse réciproque, trente jours d'agacements mutuels, de jalousies mal placées, de crises provoquées délibérément, de séparations éclairs suivies de réconciliations évidemment éternelles, de soupirs et de coups d'éclat, de rires et de larmes, et enfin cinq jours de guerre silencieuse avant la rupture définitive. Une vie, quoi. Une vie en miniature.

Cette histoire, qui m'a valu quelques satisfactions et presque autant de déboires, a également causé des dommages collatéraux. Elle a ainsi été la raison de ma première vraie fâcherie avec Paul. C'est que nous avions été des concurrents dans cette affaire. Et Paul n'appréciait guère de perdre, malgré son apparente indifférence.

Nous n'avions jamais été rivaux jusque-là, ne nous étant jamais trouvés dans la situation où l'un de nous devait l'emporter sur l'autre. Ça ne s'était pas produit ou bien nous avions fait ce qu'il fallait pour l'éviter.

Et puis Paul avait toujours été mon protecteur. Il avait le dessus sur moi, c'était une chose entendue, il était le fort et moi le faible. Il était la lumière et moi son ombre. On savait son rayonnement, on le recherchait car il réchauffait. On admettait mon effacement, qui était le trait majeur de ma personnalité si tant est qu'on puisse définir une personnalité par sa négation précisément. Et là, d'un coup, les rôles se trouvaient inversés. S'il n'en a rien dit, Paul s'est pourtant senti blessé, peut-être même humilié. Atteint dans son orgueil. Et il devait supporter, jetés dans sa direction, les regards qu'on réserve d'ordinaire aux vaincus.

Moi, je m'en voulais de lui faire un peu mal. Je ne lui avais jamais infligé la moindre vexation. Et voilà que sur les choses de l'amour, je le ridiculisais. Je m'en tirais en estimant n'y être pour rien, ne pas l'avoir provoqué. C'étaient de pauvres excuses, mais en déniche-t-on d'autres quand une fille est en jeu ?

Je me répétais aussi que Paul n'aurait pas hésité à flirter avec Mary si l'occasion s'était présentée et ne se serait pas préoccupé de moi, ni de mes états d'âme. Cependant, je n'en étais pas certain. Aujourd'hui, j'ai même acquis la conviction exactement inverse.

Oui, j'ai manqué à l'amitié, et lui ne l'aurait peut-être pas fait. J'ai momentanément préféré une amourette à un attachement dont la longévité et la force cimentaient mon existence, et lui n'aurait sans doute pas agi de la sorte.

La question est : à quel moment commence la trahison ? Cette question, je me la suis posée des centaines de fois depuis lors et la réponse a souvent varié, en fonction de mes humeurs, et du degré de conscience de ma culpabilité.

Je ne me la suis pas posée à propos de cette histoire avec Mary, qui a rapidement appartenu au passé, mais à propos d'une autre histoire survenue beaucoup plus tard, dans l'âge le plus exposé, dans le moment le plus vulnérable, et qui a décidé de nos sorts. Je me la pose encore.

Je raconterai cela. Le temps viendra. Je n'y couperai pas. J'écris ce livre dans le seul but de raconter cela.

On est persuadé qu'on ne trahira jamais. On serait prêt à en faire le serment. On a cette certitude que rien ne peut venir ébranler. Et à ceux qui osent mettre notre parole en doute, on répond par un haussement d'épaules ou par un énigmatique : « Tu ne peux pas comprendre. »

J'étais sincèrement, intimement convaincu que je ne trahirais jamais Paul. Je le savais, je le disais. Cette affirmation n'exigeait de moi aucun courage, aucun aplomb. J'avais, au contraire, le sentiment très net de proférer une évidence, d'enfoncer une porte ouverte.

Le plus souvent, il s'agissait d'une pensée calme et muette et rassurante.

Paul non plus ne nourrissait aucun doute. Plus d'une fois, il m'a promis que rien ne nous séparerait jamais, que rien ni personne ne pourrait s'immiscer entre nous, qu'aucun événement, même grave, ne serait en mesure de nous éloigner. Il savait, bien sûr, que nous aurions des différends, des disputes, que sur-giraient inévitablement entre nous des silences réprobateurs, des tensions ponctuées de paroles dangereuses, sifflées entre les dents mais que rien de tout ça ne porterait à conséquence, qu'aucun dégât ne serait irréversible.

Paul a tenu sa promesse. Il s'est montré d'une rigueur exemplaire.

De mon côté, j'ai découvert que je pouvais me tromper. Renoncer à mes principes, abdiquer mes certitudes, m'arranger avec ma mauvaise conscience. J'ai trahi.

Paul, ô Paul, je t'ai trahi.

Et certains soirs, où la tristesse est plus violente qu'à l'accoutumée, où elle vient cogner contre les parois de ma carcasse, où elle coupe ma respiration, le souvenir de cette trahison me donne envie d'ouvrir les fenêtres et de sauter dans le vide.

Mais je suis en vie. On est donc parfaitement capable de vivre avec la conscience de sa bassesse, avec le dégoût de soi.

Je suis en vie. J'écris.

Été 1959. Après l'intermède Mary Edwards, Paul a l'occasion de reprendre l'ascendant. Il fait davantage que rattraper son retard momentané : il me dépasse d'un coup et creuse une avance que je mettrai plusieurs mois à combler.

C'est encore un été d'apocalypse. Les arbres brûlent sous le soleil, les herbes jaunissent, la chaleur vibre au-dessus des chemins de terre qu'on recouvre peu à peu de goudron, la peau des hommes luit et suinte dans l'effort, le fleuve miroite, nous obligeant à détourner le regard, ses eaux sont chaudes, zébrées d'algues vertes et gluantes qui s'enroulent autour de nos cuisses, et pas un souffle, pas le plus petit vent pour soulager notre accablement, l'air est immobile et lourd. Nos cheveux collent à nos tempes, nos fronts dégoulinent, nos tee-shirts s'impriment contre nos dos. On interdit à nos mères d'allumer leurs fours, aux pères d'arroser les pelouses ou de laver leurs voitures. Nous vivons fenêtres grandes ouvertes et volets fermés, dormons nus dans des draps poisseux, nous traversons la fournaise. Nous marchons d'un pas ralenti tandis que Gene Vincent, rebelle torturé, se déhanche malgré sa jambe fracassée.

L'après-midi, pour tenter d'échapper à la malédiction de cette canicule, nous filons nous baigner. Et c'est là, lors d'une baignade, que Paul installe entre nous deux une distance que je ressens aussitôt comme une agression, une violence. Il se déshabille lentement, tranquillement alors que j'ôte mes vêtements précipitamment dans le but de me jeter le plus vite possible dans le fleuve. Je me trouve déjà dans l'eau quand il s'approche de la berge. Le spectacle qu'il m'offre en cet instant, je ne l'ai jamais oublié.

Paul se tient debout, sur la rive. C'est bien lui, je le reconnais. Et pourtant, c'est un autre. Voilà, Paul a un corps d'homme. Un sexe d'homme.

Je n'ai rien vu venir. Je ne me suis rendu compte de rien. Je n'ai pas prêté attention aux changements intervenus dans sa constitution. Tout à coup, cette métamorphose m'apparaît, elle me saute aux yeux, elle est immanquable.

Moi, je fais des ronds dans l'eau, avec mon appendice d'enfant, mon torse rachitique, mes joues imberbes, mes jambes sans le moindre poil. Ce qui nous sépare en cette minute est vertigineux.

Je vois un sexe d'homme pour la première fois. Je n'ai pas été précoce, je le concède. Mais quand on n'a pas de père, il est des choses qu'on apprend à retardement. Et, quand on habite un État du Sud, celles de la « volupté » sont entourées d'un puissant secret, ou enterrées profond. On n'en parle pas. C'est tabou. Ou c'est sale. Ou pas convenable.

Et puis, nous sommes à la fin de ces années cinquante, qui, tout de même, auront été assez puritaines. On ne badine pas avec la morale, l'ordre, la tradition. Évidemment, c'est plus facile à énoncer avec le recul, maintenant que je sais ce qui s'est passé après. Pourtant, je vous assure qu'on éprouvait parfaitement ce carcan, cette rigueur, et, en même temps, on pressentait que l'étau pouvait se desserrer, que les gens, et singulièrement les jeunes gens, ne demandaient qu'à se défouler, qu'à s'affranchir d'une société étriquée, frileuse, repliée sur elle-même. Cette année 59 n'a pas seulement marqué la fin d'une décennie. Elle a signé aussi le décès d'une époque.

Du coup, je ne suis presque pas surpris (à rebours) d'avoir été confronté à la réalité de la chair à ce moment précis. Car ce corps nouveau, celui de Paul, n'est pas seulement l'aboutissement d'une transformation, il est aussi le commencement de la sensualité.

Sur le moment, je trouve cela beau, un sexe de jeune homme. Quinze années ont passé et je continue de trouver cela beau. Non, décidément, je ne fais pas partie de ces types que les corps masculins rebutent, qui grimacent de dégoût, avec des moues parfois si appuyées qu'elles finissent par en devenir suspectes. Au contraire, je suis capable de contempler mes semblables et de leur trouver du charme. Je n'ai jamais franchi la frontière, même si l'occasion s'est présentée. Je ne suis jamais allé jusqu'à l'étreinte. Peut-être parce qu'il ne s'agissait chez moi que d'une faculté à regarder, à reconnaître, et pas d'une attirance.

Il y a autre chose aussi, mais que j'ai compris plus tard. Si je ne suis pas allé vers les hommes, c'est parce que j'avais Paul.

Son sexe est blanc, très blanc. Cela me frappe. Cette blancheur virginale me marque d'autant plus que l'objet de mon admiration est encerclé par une toison assez fournie et très noire et que le reste du corps a bruni.

Il donne l'impression d'être très doux aussi. La peau est plus fine, semble plus vulnérable, comme celle des bébés. Une ombre bleutée court le long du membre. Cela peut paraître idiot mais j'en suis ému.

Si mon premier sentiment a été de nature esthétique, le deuxième porte un nom simple : l'envie. Je dis bien envie et non désir. L'envie des enfants qui aperçoivent un gâteau dans la vitrine d'une boulangerie et le réclament immédiatement à leur mère, qui repèrent un jouet dans un catalogue et se livrent à des manœuvres redoutables pour l'obtenir, qui découvrent leur meilleur ami sur un vélo flambant neuf et souffrent en silence de ne pouvoir se prévaloir d'une aussi fière monture. Oui, cette envie-là.

Je ne comprends pas pourquoi je ne dispose pas du même attribut que Paul. Après tout, nous sommes nés le même jour, nous avons grandi ensemble, traversé les années au même rythme, nous avons été confrontés aux mêmes événements. Le ciel est le même pour nous deux. Pourquoi faut-il qu'il ne me fasse pas le même cadeau ? Pourquoi n'y a-t-il pas d'envoi groupé ?

La convoitise n'est jamais très éloignée de la jalousie, si on est tout à fait franc. En réalité, je suis un peu agacé par l'injustice dont je m'estime victime, cette inégalité de traitement, et j'en veux aux dieux chargés de la répartition de m'avoir oublié, d'avoir sauté mon tour. Je décide de reporter sur Paul, qui n'y est pourtant pour rien, cette acrimonie, cette amertume. Tout à coup, cela vire à l'aigre. Il m'exaspère

un peu ce grand dadais avec sa chair flasque qui
pend entre ses jambes.

D'autant qu'il sourit. Il arbore un sourire de
vainqueur. Insupportable. Je le revois distinctement, le torse bombé, le dos bien droit, les
mains posées sur les hanches, et donc le visage
mangé par un sourire. Il fait semblant de
regarder ailleurs, de scruter l'horizon mais s'il
ne plonge pas, c'est bien pour que je le
contemple, pour que j'aie tout le loisir de le
contempler. Quand ses yeux daignent enfin se
poser sur moi, ils fixent forcément un être
misérable, recroquevillé dans l'eau, les mains
repliées sur le bas du ventre, la chair de poule
courant sur les bras.

En un éclair, il mesure ma stupéfaction, mon
émotion et mon désarroi. Mon bouleversement.
Aussitôt, son sourire s'estompe pour laisser
place à une expression très douce, presque
compatissante, qui n'est pas de la pitié mais
bien le signe d'une affection intense. D'un
amour peut-être.

Il plonge dans le fleuve, dans le soleil
énorme, pour me rejoindre. En entrant dans
l'eau, son corps provoque une immense
éclaboussure et des remous qui me rafraî-
chissent, et me ramènent instantanément à
l'enfance, à la tendresse partagée.

Il nage dans ma direction, me contourne, se
faufile derrière moi puis s'immobilise. Il se tient

là, contre mon dos, sans prononcer un mot. Je ne bouge pas. Je pourrais me retourner, m'inquiéter de sa présence, si près de moi, croire à une menace, chercher à m'en éloigner pour ne rien risquer. Mais non. Je comprends qu'il convient de ne pas bouger. Que c'est une cérémonie.

Paul m'enlace, il passe ses bras autour de moi, les referme sur mon torse, pose son menton sur mon épaule, sa joue touche la mienne, il ne dit rien. Nous avons de l'eau jusqu'aux hanches. Est-ce que vous voyez l'image ?

Je sens sa peau mouillée, ruisselante contre moi, ses cheveux qui dégoulinent, et son sexe qui frotte contre mes fesses. Mon cœur qui cogne sous son étreinte. C'est un moment de communion absolue.

Pour finir, il me renverse en arrière et me fait couler. Lorsque je reviens à la surface, je projette des gerbes d'eau sur lui en moulinant des bras et nous partons d'un rire gigantesque.

Plus tard, nous sommes étendus sur l'herbe jaunie, au bord du Mississippi. Un steamer passe au large et fait mugir sa corne. Les rayons du soleil sèchent nos épidermes. Nous sommes nus, encore. Mais il n'y a plus de surprise, plus de gêne, plus de jalousie. Je sais que Paul va m'attendre sur le chemin qu'il me reste à parcourir.

Trois mois plus tard, au début de l'automne, à mon tour, j'aurai un sexe d'homme.

Du coup, j'aborde moins mal armé que je ne le redoutais la décennie qui s'annonce.

J'ai employé tout à l'heure l'expression « de l'amour peut-être ». Il faut enlever le peut-être.

Pour beaucoup, le début des années soixante a quelque chose de magique. Ils en parlent comme d'un âge d'or. Pour nous, je veux dire Paul et moi, cette époque a eu une odeur de produits d'entretien. Je m'explique.

Nous parvenions à l'âge où on peut faire quelque chose de ses mains. Ce qu'en ce temps-là et dans ce milieu-là, on traduisait par : l'âge où on *doit* faire quelque chose de ses mains.

Les Bruder avaient par conséquent décidé (d'autorité) que Paul travaillerait avec eux à l'épicerie, à ses moments perdus, c'est-à-dire dès qu'il aurait quitté les bancs de l'école et terminé ses devoirs.

Autant vous dire que cette décision avait considérablement réduit nos possibilités de nous retrouver ensemble. C'en était fini des baignades, des bagarres, des conversations sans fin, sans but, sans objet, des heures désœuvrées comme de celles que nous employions à refaire le monde.

Sur le moment, ce diktat m'avait paru saumâtre. J'en voulais aux Bruder de réduire Paul au servage, à l'esclavage même (je n'avais pas peur des grands mots), de le priver de ces moments de liberté et de curiosité, où on s'épanouit, où on ouvre son esprit aux choses nouvelles (toujours les grands mots). Et tout ça pour faire des économies de bouts de chandelles, pour ne pas se payer les services d'une arpette, alors que les Bruder ne semblaient pas particulièrement à plaindre : leur commerce était florissant dans cette Amérique qui retrouvait les chemins de la prospérité.

Je m'en étais ouvert à Paul, qui m'avait répondu par un haussement d'épaules désolé, un silence résigné. Paul n'était pas indocile. Il estimait également que des parents ayant perdu leur premier fils ont le droit de ne pas avoir d'ennuis avec le second. Leur deuil leur ouvrait des prérogatives qui, à moi, paraissaient assez injustifiées.

Puisque Paul ne luttait pas contre cet asservissement, puisqu'il n'existait pas de moyen d'échapper à cette calamité, une idée lumineuse s'est imposée à moi : j'ai proposé aux Bruder d'aider Paul dans ses corvées. Ainsi, il aurait terminé plus tôt et nous disposerions à nouveau de temps libre, rien que pour nous deux. Et les heures occupées, nous les passerions ensemble. Une idée lumineuse, je vous dis.

J'ai évidemment demandé à ne pas être payé. J'étais prêt à tous les bénévolats, tous les sacrifices, rien que pour ne pas être séparé de Paul, qui m'était devenu aussi indispensable que l'air dans mes poumons. J'ai eu la surprise de constater qu'on accédait à ma proposition à la seule condition que je sois rémunéré de mes efforts. Les négriers avaient bon cœur.

Après coup, j'ai découvert que cet engagement avait fait l'objet d'âpres discussions entre les parents de Paul et ma mère et que l'élan spontané et altruiste que j'avais cru discerner n'était que le produit de négociations secrètes.

En réalité, ma mère n'était pas convaincue de l'intérêt de me voir consacrer mes efforts à un travail de déclassé plutôt qu'à mes études. Ce qui, énoncé de la sorte, n'est pas forcément absurde. Mais les Bruder lui avaient indiqué que mon emploi de galérien n'empiéterait que sur mes loisirs, et qu'il était important de faire prendre conscience très tôt aux enfants de la valeur de l'argent et de l'importance du labeur.

Paul avait accompli le reste, en suppliant ma mère d'accepter. Je crois que c'est son regard implorant qui a véritablement emporté la décision.

Voilà comment je me suis retrouvé commis

d'épicerie à un dollar cinquante par jour, à Natchez, Mississippi.

Ce qui nous ramène à cette histoire de produits d'entretien. Car notre rôle – fonction serait un terme plus approprié – était de faire en sorte que le magasin soit toujours propre. Les Bruder avaient un sens aigu du service à rendre à la clientèle. Ils exigeaient que leur établissement soit impeccable, ce qui leur permettait de se différencier des bouis-bouis infâmes qui fleurissaient tout le long du fleuve et même en centre-ville, des officines louches pour clients peu regardants, des bric-à-brac qui vendaient tout et n'importe quoi dans un fatras indescriptible, des bazars qui ressemblaient à des entrepôts, comme des grandes surfaces qui commençaient à sortir de terre à la périphérie des villes. Il fallait donc traquer la poussière et le désordre, faire que tout soit rutilant et bien rangé, et que « ça sente le frais ». La tâche qui nous était assignée était redoutablement précise. Nous étions les forçats de l'hygiène, les pénitents du récurage, les chantres de l'harmonie prophylactique. Nous étions tenus de nous activer avec ardeur et méthode, tout en nous montrant discrets pour ne pas importuner celles et ceux qui venaient accomplir leur approvisionnement et avaient ainsi acquis le droit de ne pas être perturbés, agressés. J'affirme que nous nous acquittions de nos devoirs avec un certain professionnalisme et une rigueur que je qualifierais d'exemplaire. De mémoire de sudiste (et la mémoire d'un sudiste est longue), on avait rarement vu établissement aussi bien tenu.

C'est incroyable comme ce genre d'activité développe la solidarité entre ceux qui l'exercent. Paul et moi avions accumulé un peu d'avance dans ce domaine. Pourtant, nous avons pu vérifier la force de notre fraternité dans ces moments de galère partagée.

J'ai appris à aimer cette intimité dans l'épreuve. Je n'avais pas de disposition particulière pour les efforts, j'étais même enclin à une certaine paresse. Je n'ai pourtant pas rechigné à la tâche parce que Paul était là, près de moi, qui m'accompagnait, me soutenait. Sa seule présence constituait un encouragement. L'odeur mélangée de nos transpirations était la preuve que nous avions peiné de concert. Sa main passée dans mon dos, à la fin de la journée, une récompense. Cela peut paraître des détails mais j'ai toujours pensé que c'est dans les choses de rien et pas dans les grandes démonstrations que se nichent les preuves d'amitié.

Je dois aussi à cette expérience de m'avoir offert quelques muscles. Jusque-là, j'étais plutôt chétif. J'avais le torse allongé et maigre des adolescents grandis trop vite, les bras ballants, et les jambes comme des piquets. J'ai étoffé tout cela. Je ne me suis pas transformé en athlète pour autant. Disons que j'ai cessé de faire pitié.

Honnêtement, ça m'a fait plaisir de ne plus ressembler à un asticot. À quinze ans, on a appris que, pour plaire aux filles, il vaut mieux être un peu robuste et que, pour être admis dans l'équipe de football américain du collège, une charpente n'est pas un handicap.

Je mesurais chaque jour dans la glace les progrès de ma musculature. Ma mère s'amusait à me surprendre et à se moquer de moi. Mais elle était fière, je crois. Fière que son fils devienne un homme. Elle aurait pu en être attristée parce que c'était me perdre un peu, perdre l'enfance. Mais non.

Bien sûr, je n'ai pas appris grand-chose. Notre fonction consistait, je l'ai signalé, à récurer, à étiqueter et à ranger. Pas de quoi s'ouvrir l'esprit ni embrasser de nouveaux horizons, reconnaissons-le. J'ai cependant fait l'expérience d'un principe tout neuf pour moi, que même l'école n'avait pas réussi à m'inculquer : la discipline. Et, dans le même mouvement, j'ai compris que ça ne me convenait pas tellement.

Je n'étais pas spécialement revêche mais je n'appréciais pas qu'on me donne des ordres, qui plus est sans beaucoup de ménagement. Les Bruder étaient des êtres sympathiques, chaleureux à l'occasion, mais, dans le travail, ils ne plaisantaient guère, ne se montrant serviables et souriants qu'avec les clients. Avec nous, ils reprenaient leurs visages fermés et leur autorité naturelle.

Bref, je m'en accommodais mal. Je me sentais bousculé. Mais surtout, je touchais du doigt l'infériorité de ma condition et je souffrais de me trouver très exactement au plus bas niveau de l'échelle sociale. Je ne nourrissais pas d'ambition particulière – le reste de mon existence l'a amplement démontré –, cependant le fait d'être une quantité négligeable, taillable et corvéable à merci ne me satisfaisait pas vraiment. J'en concevais une sorte d'irritation muette mais aucune rébellion active. Agacé mais lâche.

Paul, de son côté, paraissait ne déceler aucune anomalie dans cette situation. Au commencement, j'ai cru que sa condition de fils des patrons expliquait son apathie, voire sa soumission. À la longue, j'ai compris que la sévérité dont nous étions l'objet ne le dérangeait nullement. Pis, il la jugeait nécessaire. Selon lui, la vie était ainsi faite qu'il fallait des chefs et des subordonnés, des dominants et des dominés. Je lui ai plus tard reproché de s'inscrire trop facilement dans cette logique simpliste. Il ne m'a pas écouté. À certains égards, le drame s'est noué autour de cette différence d'appréciation. En tout cas, je me plais à le croire, les jours où je cherche à m'exonérer de mes responsabilités.

Nos premiers pas dans la vie active – c'est bien comme ça qu'on dit ? – se sont interrompus un peu brutalement au commencement de l'été.

Les Bruder, victimes de leur succès, n'ont pas eu d'autre choix que de s'agrandir, de se moderniser. En conséquence de quoi, ils ont fait appel à une main-d'œuvre qualifiée. Un matin, Paul et moi avons appris que nous étions relevés de nos fonctions.

Notre contribution à la consolidation de la prospérité n'aura duré que six mois.

Le jour de ses quinze ans, qui était aussi le jour des miens, je vous le rappelle, Paul a reçu en cadeau cet étrange objet qui nous faisait rêver, depuis que nous l'avions vu fonctionner chez le Dr Houghton : une télévision. Le matin où on l'a livrée reste gravé dans ma mémoire. Les hommes sont venus à deux, ils étaient très précautionneux, on aurait juré qu'ils manipulaient une bombe H. Toute la famille se tenait sur le perron et a suivi la procession jusque dans le salon. Maman et moi avions obtenu le privilège d'assister à ce cérémonial. Il y avait quelque chose de solennel dans l'air, comme si nous nous doutions que, désormais, rien ne serait plus comme avant. Nous n'avions pas tout à fait tort.

Avec la télévision, les rumeurs du monde sont entrées dans notre vie. Ses maladies, ses accidents. Bien sûr, nous avons commencé à regarder les feuilletons, à troquer les héros de nos bandes dessinées pour d'autres de chair et nous avons reçu, sans avoir besoin de lever le petit doigt, plus que ce que notre imagination était en mesure de nous fournir. Mais nous avons aussi saisi que notre planète ne tournait pas forcément très rond et qu'en plus l'Amérique n'en était pas la seule ordonnatrice. Il nous a fallu découvrir les menaces qui pesaient sur nous et la rivalité des continents. À quinze ans, il était temps. J'aurais pourtant bien attendu encore un peu.

Avec le recul, je constate que nous n'aurons pas été tellement en avance. Était-ce l'effet d'un certain conservatisme ? D'une volonté de continuer à vivre entre nous, sans trop nous préoccuper du dehors ? Les journaux nous suffisaient (et encore nous contentions-nous de les feuilleter distraitement) et les événements importants finissaient toujours par nous parvenir. Avec la télé, nous avons fait entrer le loup dans la bergerie. Et nous ne l'en avons plus délogé.

Je ne me fais pas le chantre de l'obscurantisme (ce n'est pas tellement dans mon genre), mais je comprenais ceci : nous avions été heureux sans savoir et dorénavant il nous faudrait nous battre pour continuer à l'être alors que nous savions.

En attendant, dès que Paul m'invitait à le rejoindre, nous choisissions, en priorité, les westerns et les divertissements. Nous les trouvions sympathiques, ces hommes à cheval qui défendaient l'honneur et ces jeunes femmes dont les poitrines pointaient sous des corsages étroits.

Lucille Ball, aussi, nous faisait rire. Elle a été, du reste, la première femme à me faire rire.

À l'automne, la télé est arrivée chez nous. Maman ne m'avait pas prévenu, elle m'en a fait la surprise. Je constate que cette lucarne n'a par la suite jamais quitté ma vie et m'a accompagné dans toutes les maisons que j'ai habitées. Ce n'était plus celle de mes quinze ans, bien entendu. Les postes se sont modernisés, la couleur est apparue, le monde a continué à tourner mal. Toutefois, il me reste quelque chose de ma « première télé » : le souvenir d'un pincement au cœur.

Je poursuis ce voyage dans le temps, en essayant de m'en tenir à la chronologie, même si je n'échappe pas à la digression, je m'en rends compte. Notre existence est linéaire, le plus souvent. Et parfois, elle bifurque, elle emprunte des routes secondaires. Mon récit lui ressemble.

À la rentrée, sur la demande insistante de Paul, j'ai intégré l'équipe de football. Je n'étais pas particulièrement enthousiaste à l'idée d'affronter de grands gaillards qui ne manqueraient pas de me renverser en un seul coup d'épaule et de me piétiner sans le moindre regret. Cependant, Paul assurait que le football faisait partie de l'éducation d'un jeune Américain, et que celui qui tentait de s'y soustraire n'était rien d'autre qu'un déserteur en temps de guerre. Sa comparaison me paraissait un peu excessive, je ne l'aurais acceptée de nul autre que lui. Mais précisément c'était lui, je n'ai donc pas discuté.

J'ignorais, à ce moment-là, que le patriotisme

dont il avait usé pour me convaincre le mènerait si loin. Si loin de moi.

À la vérité, j'aurais préféré : « mauviette ».

Je me suis retrouvé à m'entraîner avec des types ayant tous une tête de plus que moi – et pourtant, je n'étais pas spécialement petit. Notre véritable différence résidait toutefois dans notre masse musculaire. J'ai déjà abordé ce sujet délicat : la comparaison ne m'était pas favorable.

Je me suis heureusement révélé si rapidement lamentable et inapte à souscrire à la règle de base du football – foncer dans le tas – qu'on m'a relégué sur le banc des remplaçants. Je n'en ai pas été navré. Seul Paul m'observait du coin de l'œil, depuis le terrain, avec un air de réprobation et le sentiment de son impuissance.

Il ne m'en a pas réellement voulu. Je crois qu'il avait décidé depuis le premier jour qu'il ne m'en voudrait jamais. Il était animé d'une bonté qui m'a, en permanence, décontenancé. On aurait dit que rien ne lui semblait blâmable, que tous les êtres méritaient de la considération, au moins de la compréhension. Il avait choisi d'être positif, optimiste, ce qui ne manquait pas de me dérouter car, de mon côté, j'estimais que la communauté des hommes ne faisait pas grand-chose pour qu'on lui attribue des circonstances atténuantes.

Tout de même, il arrivait à Paul de perdre

son sang-froid et de s'emporter. Néanmoins, ses colères ne duraient jamais. Et il les regrettait presque toujours. Il ne s'excusait pas dès lors qu'il s'estimait dans son droit mais s'en voulait de s'être laissé aller. De mon côté, beaucoup de choses m'agaçaient, me faisaient sortir de mes gonds et provoquaient de longs discours dans lesquels il était question d'injustice, de torts irréparables, de mauvaise foi et je ne sais quoi encore. Mon physique m'interdisait de déployer davantage que ces discours que Paul écoutait d'une oreille inattentive.

En réalité, Paul ne devenait méchant que si on m'attaquait. Cela se savait tellement que ceux qui s'y sont aventurés se comptent sur les doigts d'une main. On n'osait pas se moquer de moi parce qu'on était prévenu qu'on aurait affaire à lui. Je ne lui avais pas demandé de jouer les gardes-chiourme et, quelquefois, ma situation de protégé, voire de planqué, m'a embarrassé. Cependant Paul n'aurait pas compris que je m'en plaigne. C'était sa façon à lui, bourrue et tendre, de me témoigner son amitié. Je l'acceptais.

Vous l'avez compris, ma contribution à l'équipe a été à peu près nulle, ce qui ne nuisait en rien à ses résultats. On peut même légitimement penser que cela les favorisait.

J'ai néanmoins affectionné les moments sur le banc de touche. Les matchs ne m'intéressaient guère. En revanche, l'engagement de Paul suscitait mon admiration. C'est le spectacle de cet engagement qui me plaisait. Sa puissance, son énergie, sa célérité, sa vision du jeu, sa solidarité. J'ai regardé Paul pendant des heures. Je n'ai jamais regardé un homme autant que celui-là.

Je ne suis pas capable d'écrire une phrase pareille sans pleurer aussitôt.

Puisque j'en suis à vous confier mon trouble, je dois vous parler de la photo.

Sur cette photo, il sourit. Légèrement. Maladroitement.

C'est moi qui lui ai demandé de prendre la pose. Mais il n'est pas à l'aise avec l'objectif, c'est patent, il n'aime pas cette intrusion, cette impudeur. Il redoute qu'on lui dérobe une part de son intimité. Il fait l'effort pour moi. L'effort de sourire.

Il porte un polo blanc marqué à l'effigie du club, et ses cuissardes. Ses épaules sont larges et sa taille est mince. Derrière lui, on aperçoit le vert endommagé de la pelouse, les gradins du stade, et la silhouette d'un drapeau américain découpé dans le ciel bleu.

À y regarder de plus près, on distingue un mince filet de sang sous l'arcade sourcilière, stigmate d'un choc sur le terrain, probablement. Et puis, un peu de boue sur sa pommette gauche. Le soleil est dans ses yeux. Le soleil lui fait un regard étrange.

C'est une photo du temps de notre jeunesse, un instant arrêté, une seconde volée à la marche des années, presque rien. Juste avant, il avait dû disputer un match. Juste après, il irait rejoindre les vestiaires, prendre une douche. Moi, j'avais eu l'envie de me servir de cet appareil rapporté par ma mère, le cadeau d'un patient mort quelques jours plus tôt, un présent inestimable, imaginez : un Polaroïd capable de restituer en quelques secondes un tirage en couleurs. Paul s'était plié à ma requête. Il ne l'aurait fait pour personne d'autre.

Cette photo dit quelque chose de lui : sa beauté, bien sûr, sa vigueur, la virilité singulière des types du Sud, mais aussi sa timidité.

Elle dit quelque chose de nous : l'attachement réciproque, sa soumission à mon désir enfantin, irréfléchi, et peut-être, sans que cela ait été formulé ainsi, le souhait de conserver une trace, de témoigner que le bonheur a existé puisqu'il apparaît là, sur la photo.

Ce cliché, je l'ai gardé. C'est même le seul en ma possession ; les autres se sont égarés dans le désordre de nos existences. Il a jauni avec le temps mais lui a résisté malgré tout, il est un peu corné. Je l'ai transporté avec moi, qui ai pourtant cherché à ne m'encombrer de rien. Je le contemple encore tandis que j'écris ces mémoires sentimentaux. Il me ramène à une époque bénie et révolue. Il me rappelle qu'un jour, il a fallu grandir et perdre l'innocence.

C'est en novembre de cette année-là que l'Amérique a changé de visage. Jusque-là, elle portait le masque un peu cireux d'un général vieillissant et austère, sorte de grand-père rassurant mais de plus en plus déconnecté du pays. Elle se préparait à ressembler à un politicard professionnel mal rasé et ondoyant. Néanmoins, à la surprise générale, elle s'est donnée à un quadragénaire flamboyant et glamour, catholique de surcroît. C'est ainsi que, pour remplacer le déclinant Eisenhower, les Américains ont préféré au vice-président Nixon, qui hélas aurait plus tard l'occasion de prendre sa revanche (comme si un peuple devait toujours payer un jour ou l'autre ses excès), le sénateur John Fitzgerald Kennedy.

Je n'entendais pas grand-chose à la politique et ne faisais toujours pas la différence entre un démocrate et un républicain. Pourtant, je sentais, nous sentions tous, confusément, que le pays avait envie d'en finir avec une sorte de lenteur et de recouvrer une dimension héroïque.

C'est peut-être naïf de l'énoncer ainsi mais je vous assure qu'il y avait le désir d'un nouvel élan. Et le besoin que cette nation, constituée en majorité de jeunes gens, se choisisse un président qui lui ressemblât était patent.

Certains hommes sont « pile où il faut, quand il faut », c'est ce que ma mère prétendait. Eh bien, c'est cela que j'ai éprouvé avec Kennedy. Je dois avouer que le charme de sa jeune épouse jouait beaucoup en faveur de ma théorie. Soyons honnêtes : l'arrivée de Jackie à la Maison Blanche a représenté, pour beaucoup de garçons de ma génération, la réalisation d'un fantasme. Décidément, ces années soixante s'annonçaient sous les meilleurs auspices.

Bien sûr, tout n'allait pas être aussi rose que nous l'avions rêvé.

Au moins dans un premier temps.

Car, si j'y songe, à part l'investiture dans un froid de canard mais sous un soleil de plomb du président Kennedy, l'année 1961 nous a réservé de fort mauvaises surprises et s'est révélée un chemin de croix.

Il y a d'abord eu ce funeste débarquement dans la baie des Cochons, qui a tourné rapidement au désastre militaire et, pis, à l'affront national. J'en conserve, et je ne suis pas le seul, le souvenir d'une humiliation. De toute façon, je ne comprenais pas très bien ce que nous avions à gagner dans cette aventure

exotique et le barbu de La Havane me
paraissait, pour être franc, plus folklorique que
dangereux. Je n'étais pas très au fait des
subtilités de la guerre froide pas plus que de
celles des jeux diplomatiques entre Washington
et Moscou. Je me disais juste que nous aurions
mieux fait de ne pas aller souiller les
magnifiques plages de sable blanc des côtes
caraïbes. Nous aurions évité d'y perdre notre
honneur.

Paul, de son côté, faisait partie de ceux qui
estimaient que l'Amérique avait une mission
particulière, qu'elle était chargée (mais par
qui ? par Dieu, sans doute) d'éradiquer le mal
là où il prospérait. Elle était donc autorisée à
intervenir partout où elle le jugeait nécessaire,
sans avoir à en référer à une autre autorité que
celle de sa conscience (mais qu'est-ce que c'est
exactement, la conscience d'un pays ?). Elle
sauverait ainsi le monde de ses turpitudes et
permettrait que nous vivions tous dans une
société débarrassée de ses plaies et de ses tares.
Nous étions évidemment en désaccord sur ce
point. D'abord, nous avions, lui et moi,
beaucoup de mal à nous entendre sur une
définition du bien et du mal. Ensuite, je
contestais à mon gouvernement le droit de
s'ériger en gendarme. Enfin, j'estimais que les
peuples étaient les mieux placés pour décider
de leur sort. Je vous rassure : mon analyse
politique s'arrêtait là. J'étais déjà fier d'être

capable d'avancer deux ou trois idées en réponse aux convictions de Paul, qui, elles-mêmes, étaient davantage celles de ses parents que les siennes propres.

Il n'en reste pas moins que Paul et moi avons toujours été irréconciliables sur ce sujet. Et elles n'ont pas été si nombreuses, nos différences, au bout du compte. Cet écart entre nous n'a cependant jamais remis en cause l'essentiel. Nous nous aimions et cela seul comptait.

Il y a eu ensuite l'édification du mur de Berlin. Je n'étais doué ni en histoire ni en géographie. J'aurais été bien incapable de situer Berlin sur une carte de cette Europe qu'on désignait comme le Vieux Continent. Et je ne connaissais rien des marchandages qui avaient marqué la fin de la guerre. Le découpage du monde m'avait échappé. Et les manuels que nos professeurs nous forçaient à apprendre par cœur me tombaient des mains. On y verra de la désinvolture. Il y a de ça. J'étais néanmoins sincèrement désolé de constater que tant de gens importants avaient l'air de trouver très grave cette histoire de mur. Il faut dire qu'à seize ans tout juste, on a d'autres préoccupations. Notamment celle de se baigner et de profiter de l'été. Si les Russes avaient posé la première pierre en plein cœur de l'hiver, peut-être que cela aurait davantage retenu notre attention.

Enfin, en décembre, il s'est produit un événement passé pratiquement inaperçu et qui devait pourtant avoir sur nos existences un retentissement considérable : Kennedy a envoyé des conseillers militaires dans un pays rongé par la guérilla, menacé par le « cancer du communisme », comme on disait alors, un pays dont nous ne savions rien ou presque, et qui nous semblait très lointain. Ce pays, c'était le Vietnam, bien sûr. Notre destin s'est joué là-bas. La fameuse histoire de l'aile de papillon.

Une mauvaise année, il n'y a pas à barguigner.

Si je cherche les compensations, je n'en déniche pas beaucoup.

En tout cas pas du côté de mes amours, presque toutes mort-nées. Les évoquer m'expose à dérouler une longue succession de déconvenues sentimentales. Mais puisque j'ai décidé de tout raconter...

Il y a d'abord eu Louise Cooper. Une rousse à la peau très blanche. Je n'ai guère fait preuve d'originalité : je l'ai rencontrée au collège. Sa peau laiteuse m'a attiré, quand mes camarades étaient plutôt rebutés par ce teint de cadavre. J'ai pensé qu'au moins je n'aurais pas à souffrir de la concurrence. Mes efforts ont cependant été vains. Je me suis montré persévérant, appliqué, délicat mais rien n'y a fait. Il m'a fallu du temps pour comprendre que Louise était une fille sérieuse, trop sérieuse, qui se méfiait des garçons et qu'elle avait choisi d'attendre d'avoir dix-huit ans avant d'en fréquenter un pour de bon. Cette borne des dix-huit ans me semblait absurde et injustifiable, et très lointaine.

J'ai appris depuis qu'il est fort difficile d'aller contre les résolutions des femmes, y compris quand elles sont inintelligibles. J'ai donc dû battre en retraite après des semaines d'une cour assidue qui m'avait, par ailleurs, valu d'être la risée des autres garçons. Mon abdication a été une sorte d'apothéose dans le ridicule et ils ne se sont pas gênés pour souligner la virtuosité de mon échec.

La plupart d'entre eux, pendant ce temps, s'affichaient au bras de pulpeuses jeunes filles pas farouches, portant des jupes vichy assez courtes, des talons plats, et des soutiens-gorge ostensibles sous des chemisiers trop clairs.

Seul Paul, à ce moment-là, ne fréquentait personne. Il prétendait qu'il ne cherchait pas d'âme sœur et que son temps viendrait forcément. Il n'entendait pas brusquer les choses. C'était bien dans sa manière. La suite lui a donné raison.

Je dois vous parler ensuite de María Rodriguez. Une brune incendiaire, l'expression est inventée pour elle. Ses parents avaient émigré du Mexique, à la fin de la guerre. Ils s'étaient retrouvés à Natchez où ils avaient une vague connaissance. Ils y étaient restés. María était née ici, peu de temps après. Elle parlait américain sans le moindre accent espagnol, bien sûr, mais était capable de s'emporter dans une langue que nous ne comprenions pas. Je n'avais jamais été attiré par les filles volcaniques. Je suppose que j'ai voulu me prouver que ce désintérêt n'était pas le fait du hasard. Avec María, mes souffrances ont été brèves et intenses. Je crois qu'au fond elle ne supportait pas ce que j'étais, elle me trouvait mou et ne cessait de me houspiller. Elle passait son temps à m'expliquer qu'il était parfaitement indigne d'accepter de végéter sur le banc des remplaçants de l'équipe de football et que je devrais tout mettre en œuvre pour en être un des titulaires. Elle a fini dans les bras du capitaine. Les filles sont logiques.

On m'a vu quelque temps en compagnie de Caroline Prescott. Une brune encore, mais aux cheveux courts. Voilà une histoire qui m'a fait rire. Et qui me fait sourire aujourd'hui encore. J'avais d'abord aimé chez Caroline qu'elle fasse l'effort de venir vers moi. C'est toujours très flatteur de n'avoir pas à accomplir le premier pas et d'être celui qu'on recherche. Avez-vous remarqué que les filles qui nous draguent sont subitement plus belles ? La veille, on ne les aurait pas remarquées. Le jour où elles s'approchent de nous et nous sourient, elles acquièrent un charme qu'on ne soupçonnait pas. Toutefois, je ne veux pas être injuste. Caroline n'était pas laide, pas du tout. Elle était juste quelconque. Elle avait surtout des allures de sauvageonne. Les garçons ont souvent tendance à préférer les filles vraiment féminines. C'est sans doute plus valorisant. On épate davantage la galerie. Je ne me rappelle plus combien de temps cela m'a demandé pour soulever le lièvre, percer à jour l'imposture. Ce qui est certain, c'est que je ne me suis pas senti choqué ou humilié. Cela m'a touché plutôt. Cela a réveillé aussi mes (minces) ardeurs militantes. Un jour, alors que nous en étions au stade des baisers langoureux (toujours en public), Caroline m'a fait un aveu. À l'évidence, j'aurais dû comprendre avant. J'aurais dû comprendre quand, précisément, elle se dérobait à mes étreintes alors que personne ne pouvait nous voir. Mais j'étais naïf, voilà tout. Et peu au fait de ces mœurs-là. Caroline préférait les filles, elle les avait toujours préférées, n'avait pas la moindre intention d'entamer une histoire avec un garçon ; je constituais pour elle une couverture. J'ai su, un peu plus tard, que des rumeurs couraient en effet sur son compte mais elles n'étaient pas parvenues jusqu'à moi. Après cette confidence, j'ignorais si je devais être dépité, éclater de rire, montrer de la compassion, de l'effroi. Je n'ai pas eu le temps d'y réfléchir puisque Caroline a enchaîné aussitôt en m'exposant, le plus sérieusement du monde, qu'elle s'était intéressée à moi parce qu'elle était persuadée que, de mon côté, j'étais pédéraste. En somme, nous aurions pu être l'un pour l'autre un alibi. C'est là que j'ai choisi le parti d'en rire. Toute cette stratégie, patiemment élaborée, savamment conduite, piteusement conclue avait quelque chose de comique. Je n'en ai pas voulu à Caroline. J'ai même accepté de continuer à me montrer avec elle pendant quelques semaines. J'ai adoré inventer des étreintes imaginaires, réciter des fables extraordinaires que mes camarades écoutaient, dubitatifs mais médusés. Je fournissais un luxe de détails vraisemblables. Je me suis vraiment complu dans la mystification. Je sais qu'aujourd'hui Caroline vit heureuse, dans le Massachusetts, avec une femme qui présente la météo sur une chaîne locale. Et je ne suis pas mécontent d'avoir été son complice.

J'en aurai terminé lorsque j'aurai évoqué Liz Clayborne. Une blonde, une fois n'est pas coutume. Un petit nez retroussé, des fossettes, un visage angélique. Le reste était à l'avenant. L'étroitesse de ses hanches me rendait franchement nerveux. Vous avez compris qu'à seize ans, si je tentais, certes de façon calamiteuse, d'être un amoureux, je n'avais encore jamais été un amant. Liz Clayborne avait le profil idéal pour mettre un terme à cette scandaleuse malédiction, partagée néanmoins par la totalité de mes camarades, malgré leurs bruyantes dénégations et le récit de prouesses qui laissaient perplexe. J'ai donc misé tous mes espoirs sur elle et me suis appliqué à être un chevalier servant irréprochable. Je confesse toutefois quelques maladresses, de la gaucherie, et une ingénuité qui a dû lui paraître confondante. Pourtant, je réalisais des progrès considérables et j'avais l'impression de m'approcher du but. Nos baisers étaient de moins en moins chastes, nos embrassades de plus en plus suggestives, mes mains chaque jour plus furtives et les siennes chaque jour moins résistantes. Hélas, car tout s'achève forcément par un hélas, les parents de Liz ont choisi ce moment précis pour se séparer, après une dispute homérique et beaucoup de vaisselle cassée. En conséquence de quoi, la mère de Liz a décidé de quitter Natchez sur-le-champ et d'aller emménager avec ses trois enfants – Liz avait deux frères plus jeunes qu'elle – à Fort Lauderdale, en Floride, où résidait sa sœur. Ainsi abandonné, je me suis contenté de regrets éternels et du plaisir singulier (mais un peu trop répétitif à mon goût) de la masturbation.

Oui, vraiment une sale année, que cette année 1961.

Pendant ce temps-là, je l'ai déjà signalé, Paul ne se montrait pas particulièrement actif. Il se fichait pas mal qu'on le brocarde, n'étant pas sensible à sa réputation. Il lui suffisait de savoir qu'il plaisait. Il estimait n'avoir pas besoin d'en rajouter. Un jour, tout de même, je l'avais aperçu en compagnie d'une fille que je n'avais jamais vue auparavant, qui n'appartenait pas à notre collège, qui habitait peut-être une autre ville. Lorsque je l'avais interrogé, il avait mimé celui qui ne comprenait pas et réussi à esquiver. Je n'avais pas insisté, davantage préoccupé par ma propre libido et la difficulté à la satisfaire.

Cette fille a fait sa réapparition quelques semaines plus tard. Paul s'est pointé en lui tenant la main, sans ostentation mais sans embarras, et me l'a présentée. C'est ainsi que j'ai fait la connaissance de Claire. Claire MacMullen. « D'origine irlandaise, comme le Président », a-t-il curieusement précisé. Je ne savais pas alors que venait de se déclencher un cataclysme qui allait tous nous emporter.

Ma première réaction a été d'en vouloir à Paul. Non pas de s'être épris de cette Claire, mais de ne pas m'en avoir informé plus tôt, de me l'avoir caché même. Nous ne possédions pas de secrets l'un pour l'autre et je considérais comme une atteinte à notre amitié ce que je désignais sous le terme infamant de mensonge, même s'il ne s'agissait que d'une omission.

Je connaissais suffisamment Paul pour être certain que ce silence était délibéré, qu'il avait dissimulé ce flirt en conscience. Sur le moment, j'en ai conclu que cette cachotterie devait être mise sur le compte de sa légendaire pudeur. Je sais désormais que c'était autre chose. Paul avait sans doute pressenti que cette aventure l'emmènerait loin, qu'elle n'était pas anodine. Par conséquent, il lui conférait la solennité qu'elle méritait.

Pendant toutes les années qui ont suivi, je me suis souvent demandé si la rencontre avec Claire avait été une bénédiction ou un grand malheur. Aujourd'hui, je dispose de la réponse.

Elle était très belle. On pourrait chercher à énoncer les choses de manière plus sophistiquée mais, à la fin, ce qu'on retiendrait, c'est ceci : Claire MacMullen était très belle.

Elle avait une allure folle alors qu'elle avait le même âge que nous. On aurait juré qu'elle était en avance, ressemblant déjà à la femme qu'elle allait devenir. Elle s'habillait de vêtements ordinaires qui, portés par elle, formaient une parure d'exception. Elle ne se maquillait pas mais de tout son visage émanait une lumière qui ne semblait pas naturelle, et forçait l'attention. Quand elle souriait, elle était une autre personne, elle rayonnait. Et quand elle ne souriait pas, elle avait cet air de gravité qui nous intimidait.

Elle tenait beaucoup à ses origines irlandaises, les revendiquait. Elle n'avait pourtant jamais mis les pieds en Irlande mais, pour nous, de toute façon, elle arrivait d'ailleurs.

Elle formait avec Paul un couple à la fois étonnant et évident. Je m'explique : au premier regard, on ne comprenait pas comment ces deux-là s'étaient trouvés et ce n'est pas faire injure à la beauté de Paul que de souligner qu'elle était inférieure à celle de sa compagne, et surtout beaucoup plus rugueuse, beaucoup moins subtile. Cependant, très vite, on admettait qu'ils étaient parfaitement assortis et on avait envie qu'ils soient heureux ensemble, que rien ne les désunisse.

La vie, parfois, réserve d'affreuses déconvenues.

J'admets sans trop rechigner que j'ai éprouvé de la jalousie.

D'abord, il y avait quelque injustice à échouer lamentablement dans ses conquêtes féminines et à constater que son meilleur ami avait, lui, décroché le gros lot à sa (presque) première tentative.

Ensuite, je devinais que le temps du partage était venu. On a beau aimer beaucoup celui avec qui on passe son temps depuis plus de seize ans, les filles possèdent des arguments qu'un comparse, même de longue date, n'est pas en mesure de faire jouer. Paul allait donc me délaisser au profit de Claire.

Je pourrais parler d'éloignement mais c'était davantage que cela. Je me souviens de quelque chose de violent, qui m'a fait du mal. J'ai fait connaissance avec la *solitude*.

Il en va de la solitude comme des plantes : il en existe plusieurs variétés.

Première variété : la claustration. Oui, j'ai eu

l'impression d'être placé en quarantaine, à l'isolement. La solitude est une prison, un cloître. On s'y sent comme entre quatre murs. On cogne contre une porte close et personne ne nous entend, personne ne vient ouvrir. On est ravitaillé régulièrement par le dehors, histoire de ne pas mourir tout à fait, de ne pas disparaître au monde. Mais même ces rations données comme à un chien sont la mesure de notre enchaînement. Et puis, on apprend l'endurance, la résistance. Enfin, on reconnaît au premier coup d'œil ses compagnons d'infortune car les visages des enfermés se ressemblent tous.

Deuxième variété : l'abandon. On est délaissé, démuni. On est dans une pauvreté incroyable, on ne possède plus rien, on n'appartient plus à rien, on est un déclassé, on n'a personne à qui se raccrocher. On perd la réalité. Les alentours deviennent imprécis. On peut trouver du plaisir à se délester ainsi, à devenir aussi léger. Pourtant, on se rend compte rapidement que ce dénuement n'est que de l'inconsistance. La sensation du vide est effrayante.

Troisième variété : l'exil. C'est comme un bannissement, un départ obligé, une déportation, un ostracisme. On est renvoyé, relégué. On se sent importun, en excès. Il faut partir, s'éloigner, ne plus déranger. Même en accomplissant une distance infime, on se retrouve au plus loin. Et les autres, ceux qui restent, deviennent inaccessibles, intouchables. On se voit les perdre.

Quatrième variété : la méditation. On loge dans une tour d'ivoire, on se recueille, on réfléchit, on se persuade qu'on a décidé de son sort, on est bien là où on est, on prend du recul. Du reste, on voit mieux de loin. Vrai, cela s'apparente à une retraite, un renoncement délibéré. Il arrive souvent qu'on s'y ennuie.

Cinquième variété : la séparation. J'ai parlé de ça, ce retranchement. Cette ombre. Une sauvagerie.

Même si j'ai eu une prédilection pour la dernière, je suis passé par à peu près toutes ces phases. Et j'en oublie sans doute. On va penser que j'exagère. On se trompera. Je ne me suis jamais senti aussi seul que dans les toutes premières semaines de l'irruption de Claire. J'ai abdiqué tout ce sur quoi j'avais bâti mon existence, cette tranquille certitude que Paul serait toujours là pour moi. J'ai dû apprendre que je ne pouvais pas être indéfiniment la moitié d'un duo. Cette révélation m'a été salutaire, je n'en doute pas. Elle a surtout été, sur le moment, extraordinairement douloureuse.

Aujourd'hui, je sais qu'on se remet de tout.

Mais je n'en suis pas forcément fier. Ni heureux.

En ai-je voulu à Paul d'avoir fait dissidence, mis de l'espace entre nous ? Sans doute un peu, si je suis sincère. Après tout, c'est lui qui était à la manœuvre, lui qui prenait l'initiative. Il a choisi Claire, choisi de lui consacrer son temps, de lui octroyer la première place, de la mettre au centre de ses préoccupations.

Au fond, ne se contentait-il pas, à son corps défendant, de me rendre la monnaie de ma pièce ? N'avais-je pas agi pareillement lors de l'épisode « Mary Edwards » ?

Parce que je suis parfois injuste, c'est sur Claire que, pendant quelques semaines, j'ai reporté mon amertume. Elle était venue s'immiscer entre nous. Elle était l'usurpatrice, l'envahisseur. Soudain, elle m'a paru moins belle. J'ai aperçu dans ses yeux un éclat qui m'avait échappé : celui de la puissance. Du mépris, qui sait ?

Rétrospectivement, je mesure combien j'ai été abusif, inéquitable, scélérat peut-être. Ni Claire ni Paul ne méritaient mon aigreur. Et cette noirceur que je leur reprochais était tout bonnement la mienne.

Ont-ils éprouvé mon ressentiment ? mon malaise ? Si je ne suis pas certain qu'elle se soit doutée de quoi que ce soit, je sais, en revanche, que lui n'a pas manqué de relever mon changement d'attitude. Il s'en est amusé au début, flatté par ma jalousie, par ce qu'elle signifiait. Et puis, il s'en est irrité, agacé par cette comédie enfantine. Du jour où j'ai perçu son irritation, j'ai cessé mes sarcasmes et mis ma douleur en veilleuse. Tout est redevenu normal, au moins en apparence. J'ai même fini par jouer le jeu d'un aimable trio.

La liaison de Paul et Claire (j'aime bien ce mot de liaison, qui a un caractère suranné, qui ne convient pas parfaitement à la situation, mais la résume pourtant) a duré de l'automne 61 à l'été 62.

Je me suis longtemps demandé si elle avait été charnelle.

Nous étions très jeunes encore et n'avions pas expérimenté les plaisirs (ni les déboires) du sexe. Bref, nous étions puceaux, nous ne nous en vantions pas et notre intention était de nous déniaiser.

La longévité et l'intensité de leur attachement faisaient pencher la balance du côté de la perte de virginité. Néanmoins, ils demeuraient très discrets et, au moins au commencement, je n'osais pas interroger Paul sur ce sujet. Ma pusillanimité n'était pas le fruit d'un embarras quelconque, ni même d'une pudeur excessive. Simplement, je savais que Paul éclairerait ma lanterne uniquement s'il en avait envie et je ne le sentais guère disposé aux confidences.

J'attendais, pour me lancer, d'être sûr d'obtenir une réponse.

J'avais sous-estimé sa capacité de résistance ou surestimé ma force de persuasion. Car, lorsque je me suis enfin décidé, j'ai essuyé un refus poli mais net. Cette marque de défiance m'a agacé. En réalité, j'évaluais mal l'importance de ce que Paul vivait.

J'en ai toutefois déduit que son silence valait aveu et qu'il avait bel et bien couché avec Claire. Avec n'importe quel autre, je serais arrivé à la conclusion inverse. En effet, ceux qui laissent planer le doute en refusant d'être précis, en entretenant un flou savant, ceux-là ne sont pas passés à l'acte, j'en sais quelque chose. Mais Paul n'était pas du genre à louvoyer, se moquait du ridicule comme des insinuations malveillantes, et répugnait à mentir. S'il n'a pas nié, c'est qu'il ne le pouvait pas. S'il n'a pas avoué, c'est qu'il ne le voulait pas.

Toutes ces considérations paraîtront peut-être futiles. Au fond, on se fiche de connaître ces détails. Pourtant, je suis certain que nul n'a oublié ses jeunes années et le tour obsessionnel que peut prendre cette question de « la première fois ». Mon insistance à savoir trahissait, à la fois, mon désir de comprendre comment ces choses-là se passaient (et, dans ce domaine, le seul devant qui j'étais capable de

m'ouvrir de mes doutes et de mes interroga-
tions, c'était Paul), et ma conviction que cette
confidence était le signe de la plus grande
intimité entre deux amis.

Il y entrait évidemment des motifs plus
obscurs. Je me sentais le gardien de Paul, et
j'admettais qu'il soit le mien. Il s'agissait d'un
serment tacite. Le fait d'avoir grandi ensemble,
d'avoir traversé les étapes essentielles de l'existence côte à côte nous conférait une responsa-
bilité particulière.

À ces raisons souterraines s'ajoutaient des
pulsions troubles, ce qui ne simplifiait rien.
Chacun en connaissait davantage sur l'autre que
sur lui-même à certains égards. C'était vrai de
nos corps respectifs. Si nous ne les avions jamais
explorés, nous en avions un savoir très précis.
Nous étions capables d'en citer les forces et les
points faibles. Je n'ignorais pas ce qui faisait la
fierté de Paul et où se logeaient ses hontes
secrètes, là où il se sentait le plus vulnérable, le
plus en danger. La réciproque était valable. Sa
peau avait frémi sous mes doigts : il importait
donc de ne pas la confier à n'importe qui.

Enfin, il est une ultime explication à mon
obsession à décrocher l'information que je
traquais : je pressentais que, dès lors que Paul
aurait ouvert la voie, mon tour viendrait vite.

Il m'a avoué la vérité au bout de plusieurs
mois, y mettant beaucoup de solennité. Il a

refermé derrière lui la porte de sa chambre, m'a prié de m'asseoir, comme lorsqu'on a de mauvaises nouvelles à annoncer. Plus de douze ans se sont écoulés et c'est en tremblant que j'évoque cet épisode. Je me rappelle comme il était intimidé. Je ne détaillerai pas ce qu'il m'a confié alors, parce que j'aurais l'impression de commettre un viol, un attentat à notre mémoire commune. Je peux, en revanche, révéler qu'il a prononcé des mots d'amour qui dépassaient très largement le cadre des emportements adolescents, et qui m'ont effrayé.

Et puis, un matin, Claire a prévenu Paul qu'elle devait partir. Son père travaillait pour Coca-Cola, il venait d'être promu au siège d'Atlanta, il devait prendre ses nouvelles fonctions toutes affaires cessantes, la famille déménageait dans l'urgence en Géorgie.

Cette nouvelle a eu l'effet d'un coup de tonnerre.

Parce qu'elle était imprévisible, elle a désarçonné Paul. Parce qu'elle avait un effet immédiat, celui-ci n'a même pas eu le temps de se faire à l'idée de la séparation. J'ai vu son vacillement, un bref manquement à l'équilibre.

Ce 16 juillet 1962, tandis que la voiture familiale patientait juste à côté, elle nous a regardés, Paul et moi, penauds, inertes, et s'est approchée de nous. Elle m'a embrassé sur les joues, lentement. Puis, elle s'est plantée devant mon compagnon, lui a saisi les mains, les a serrées longtemps. Quand elle les a finalement laissées retomber, elle a caressé ses bras dans un geste qui aurait pu paraître maternel mais qui était plus sensuel qu'une étreinte nue. Puis elle s'est assise à l'arrière de la voiture. Se retournant vers nous, alors que le véhicule s'éloignait, elle nous a salués longuement d'un geste lent et régulier. Encastrant son regard dans celui de son amoureux, elle a échangé avec lui un serment que je n'ai pas déchiffré.

J'ai raccompagné Paul chez lui, sans qu'il m'ait rien demandé et sans que nous prononcions la moindre parole. Dès le living, j'ai aperçu que ses lèvres tremblaient. Doucement, très doucement, les larmes sont venues, il n'a pas cherché à les contenir, ni à les essuyer. Je me suis approché de lui, un peu maladroit. J'ai pris sa main. Cela m'a paru le geste à faire, même s'il mimait maladroitement celui de Claire, quelques instants plus tôt. Nous sommes restés longtemps, main dans la main, face à face, dans le living. Je tentais de le consoler, en silence, de son premier chagrin d'amour.

Mes sentiments à moi étaient beaucoup plus mélangés.

Claire avait illuminé nos existences, elle y avait fait entrer de la fraîcheur aussi, un courant d'air. J'admets volontiers qu'elle nous a extirpés de notre train-train, de notre routine et ce n'était pas un mal. Elle a bousculé nos habitudes, brouillé nos repères, affolé nos boussoles et nous devons lui en être reconnaissants. Nous risquions une sorte de sclérose et elle nous a enseigné le mouvement. Nous nous contentions de notre ordinaire et elle nous a montré qu'il existait autre chose. Ce n'était pas une question de géographie puisque nous n'avons pas quitté notre Mississippi. C'était plutôt une façon d'aborder la vie, plus positive, plus active, plus volontaire. Il lui suffisait de sourire à tout bout de champ, de se mettre à courir sans raison, ou de danser dans la rue pour que nous nous sentions transportés. Avec presque rien, elle nous a fait croire que nous transgressions les règles. Peut-être étions-nous un peu empotés, et dotés d'une imagination très moyenne. Elle nous a fait fendre nos armures.

Je me souviens de monologues enflammés dont nous étions les spectateurs mutiques, de folles cavalcades dont elle prenait la tête et qui nous laissaient essoufflés, de nuits blanches qui s'achevaient sur un matelas trop petit pour trois, de baisers distribués à la volée, les uns sur les lèvres de Paul, les autres sur mes joues, de mines renfrognées qui alimentaient notre inquiétude, de rires tonitruants qui nous réconciliaient avec la vie.

Paul était heureux. On ne voyait que ça, son

bonheur. Et c'était d'autant plus spectaculaire chez un garçon qui n'était pas démonstratif, dont on avait du mal à discerner les sentiments profonds. Pourtant, cette joie flagrante m'indisposait quelquefois. Et explique qu'après le temps de l'isolement puis celui du partage, je n'aie pas regardé d'un mauvais œil le brusque exil de Claire. Car il avait une conséquence immédiate : renvoyé au célibat, Paul m'était enfin redonné tout entier. Aussi, lorsque la voiture a tourné au coin de la rue, en sus de ma tristesse, ai-je ressenti une sorte de soulagement.

Je ne me reproche pas d'avoir éprouvé ce sentiment. Je n'avais pas désiré le départ de Claire, ne l'avais pas davantage provoqué ; je ne me suis pas interdit de m'en réjouir, sans bruit, voilà tout.

Moi qui connais la suite, et la place que la jeune femme occuperait à nouveau dans nos vies des années plus tard, je mesure combien ce contentement a quelque chose de tragiquement risible.

Les derniers jours de juillet ont eu une étrange saveur. J'ai été très proche de Paul qui se forçait à ne pas évoquer ses amours défuntes. Ça le brûlait d'en parler, de l'expulser, mais il gardait tout pour lui. Il trouvait le courage de demeurer muet, de ne pas témoigner de sa tristesse. Moi, je faisais comme si de rien n'était et je proposais que nous allions nous baigner pour échapper à la canicule qui, de nouveau, s'abattait sur le sud du pays. Hélas, nous n'étions plus des enfants. Peut-être n'était-il plus temps de songer seulement à nous amuser.

À la veille de nos dix-sept ans, Marilyn est morte. Il me semble – bêtement peut-être – que cette disparition a marqué la fin de notre adolescence.

Je ne savais rien du cinéma, alors. Ou presque. Au cinéma, je n'y mettais pas les pieds. Pas vraiment d'argent à dépenser pour ça. En revanche, j'avais du temps mais je préférais le consacrer à autre chose, même à la vacance, même à l'ennui. Et puis Paul n'avait pas de goût pour les films. Comme je n'envisageais pas de me retrouver seul dans une salle sombre (et pas climatisée), ni surtout de m'y trouver sans lui, je n'y allais pas.

Ce qui aurait pu me porter vers les films, ce sont les femmes, l'envie de voir des femmes sur l'écran, des femmes sensuelles, glamour, des Marilyn, mais non. Il ne suffisait pas qu'elles soient des femmes, il leur manquait l'incarnation. Je rêvais à des corps, pas à des images de corps (et pour ça, de toute façon, j'avais les revues).

À Natchez, le cinéma s'appelait le Strand. Nous apercevions les gens qui faisaient la queue, lorsqu'il nous arrivait de passer devant. Jamais nous ne nous arrêtions. Nous jetions un coup d'œil aux affiches, quand même. Mais le noir et blanc ne nous attirait guère. La vie, elle, était en couleurs.

Donc, à dix-sept ans, je n'avais presque pas vu de films. Et, en tout cas, pas un seul avec Marilyn. Avec Liz Taylor, si, une fois : *La Chatte sur un toit brûlant*. Parce que l'histoire se passait pas loin de chez nous, dans la maison d'un planteur du delta du Mississippi. Je l'avais trouvée très sexy, Elizabeth Taylor. Mais, à la fin, c'est plutôt le personnage que Paul Newman interprétait (Brick, je crois) qui m'avait marqué. J'ai mis longtemps à comprendre pourquoi. À ce moment-là, j'étais trop jeune, impossible de mettre des mots sur mon trouble.

Aujourd'hui, cette virginité cinéphilique me semble inconcevable. Il ne s'écoule pas une semaine sans que je m'enferme dans une salle obscure. Je suis devenu presque incollable. Et j'ai fini par connaître tous les films importants qui se sont tournés dans les années cinquante et au début des années soixante. Désormais, nul ne peut me prendre en défaut sur la filmographie de Marilyn. On met du temps parfois à choisir ses chemins.

Du coup, si je considère la mort de Marilyn Monroe comme une césure, ce n'est pas pour des raisons qui tiennent à sa filmographie. En réalité, c'est la stupeur de l'Amérique et du monde au matin de ce 5 août 1962 qui nous a fait prendre conscience que c'en était fini du rêve et de l'insouciance. Nous nous sommes réveillés avec la gueule de bois et nous ne nous souvenions pas de nous être saoulés autant. Ou plutôt nous ne nous en étions pas rendu compte.

Si on y songe pourtant, Marilyn, ce n'était pas grand-chose. Une pauvre fille un peu godiche, née Norma Jean Baker, teinte en blonde pour plaire à de vieux messieurs, une femme-enfant un peu perdue, aux lèvres peintes en rouge sang, une actrice moyenne qui ânonnait ses textes et que son physique sauvait de l'anonymat total. Par quel miracle transformait-elle la moindre de ses apparitions en émeute ? Pourquoi la plus petite de ses mimiques était-elle aussitôt copiée par toutes les filles, dans tout le pays ? Pourquoi était-elle cette bombe enflammant le cœur des hommes ? Je suppose qu'on avait envie de se reconnaître dans la fulgurante ascension de cette gamine ordinaire et qu'on était médusé par la sensualité qu'elle dégageait. Sa mort nous a donc atteints dans ce que nous étions, dans nos espérances et nos fantasmes.

Survenue quelques jours après le départ de Claire, elle semblait vouloir conclure une époque et nous obliger à entrer dans la grande photo du monde.

J'explique cela avec le recul. Sur le moment, je n'aurais pas été en mesure de tenir pareil raisonnement. Nous ressentions les choses sans les expliciter, sans les nommer. C'étaient davantage des secousses, des entailles. Nous franchissions des frontières invisibles.

À l'automne, comme pour accélérer le processus, notre État a eu le triste privilège de faire la une des journaux. Le campus de l'université d'Oxford, que je devais fréquenter un an plus tard, a en effet été le théâtre d'affrontements très violents, dont les images ont fait le tour du pays, et cela du fait d'un seul homme : James Meredith.

Que je vous dise : James Meredith n'était pas un dangereux criminel, pas un repris de justice, pas un agitateur professionnel, pas un exhibitionniste pervers. Il n'était qu'un étudiant, assez méritant, n'aspirant qu'à poursuivre dans le calme sa scolarité. Sa seule présence à l'université a pourtant suffi à déclencher des émeutes sanglantes. Il est vrai que Meredith portait sur lui la couleur du scandale : il était noir.

On a un peu de peine à croire que ces événements ont eu lieu il y a douze ans seulement. Car, même si ce pays ne s'est pas débarrassé de ses penchants racistes ni de ses démons, il a tout de même accompli des progrès considérables sur la voie de l'acceptation de l'autre. Mais le Sud, bastion de l'esclavage, a été le plus long à céder et à en finir avec la ségrégation, j'ai déjà évoqué cela.

À l'automne 1962, un gouverneur, défendant « l'ordre établi », persistait à s'opposer à tous les mélanges qui, selon lui, menaçaient de mort la race blanche. Ce sont ses supporters qui ont déclenché la bagarre. Eux qui ont porté le fer pour que James Meredith ne soit pas admis entre les murs de la vénérable institution d'Oxford, Mississippi. Ce sont les fanatiques à ses ordres qui ont chargé sur le peuple noir. Sans doute étaient-ils les visages visibles du Ku Klux Klan, qui, lui, préférait avancer masqué.

J'ai regardé les images à la télévision, entendu les commentaires à la radio. Le spectacle de la virulence collective, de débordements est toujours choquant. On n'en sort pas indemne. Je n'ai pas réussi à détourner les yeux de l'écran de télé, happé par cette fureur, cette démence. J'ai retrouvé, en une poignée de secondes, la honte et la colère ressenties lorsque Mrs. Bruder avait éloigné Paul du petit Franklin Carter. Elles ne m'ont plus quitté.

Le président Kennedy a heureusement sauvé l'honneur des Américains en dépêchant les troupes fédérales qui ont maté les émeutiers et ramené la tranquillité. Néanmoins la cicatrice a eu du mal à se refermer. Elle a couru longtemps sur notre sol souillé, sur notre terre meurtrie du Mississippi, marquant une frontière entre deux camps. Si elle s'est estompée, elle n'est pas tout à fait effacée. Je vois bien qu'elle nous irrite quelquefois encore.

Le silence de Paul, pendant ces événements, m'a profondément blessé. Par égard pour moi, il n'a pas approuvé ceux qui prônaient la ségrégation par la lutte. Par humanité, il n'a pas supporté le déferlement de violence. Mais, par tradition, il s'en est tenu à une stricte séparation.

Je lui en ai voulu. Pour la première fois, j'ai éprouvé à son endroit de l'aversion. Même fugace, même localisée, c'était bien de l'aversion. J'estimais qu'on avait le devoir de s'abstraire de son milieu, de son éducation lorsque l'humanité était en jeu. Il ne l'a pas entendu ainsi et je l'ai regretté. Cette divergence entre nous s'est creusée beaucoup plus tard. J'ignorais alors qu'elle était susceptible de nous engloutir.

À la fin du mois d'octobre, la crise des missiles nous a brutalement rapprochés, Paul et moi, et même littéralement jetés l'un contre l'autre à nouveau. Cette fameuse crise est arrivée telle une réplique au fiasco cubain du printemps 1961. Une sale affaire. Là, j'ai réellement eu peur. Nous avons tous eu peur. Il faut reconnaître que le pire nous a frôlés. Ceux qui n'ont pas vécu ces heures-là, terrés dans leurs maisons, priant un dieu résolument silencieux, espérant que la folie des hommes saurait s'arrêter à temps, se demandant si ce jeune Kennedy n'était pas précisément un peu trop jeune, apprenant en un temps record tous les ressorts de la géopolitique, ceux-là ne mesurent pas l'effroi qui a été le nôtre.

Oui, nous avons vraiment cru que nous allions y passer, que les Russes ne stopperaient pas leurs navires, que le Président ne prendrait pas le risque d'une seconde défaite, et que des missiles allaient s'abattre sur nos têtes.

C'est une circonstance absolument singulière,

d'une intensité indépassable, celle où l'on conçoit qu'on doit se résoudre à mourir, celle où l'on admet qu'on va mourir, que c'est bien cela qui va se produire, la mort et rien d'autre, c'est inévitable, il n'y a plus qu'à attendre, tranquillement.

S'y ajoute une dimension particulière : on ne va pas mourir seul, dans son lit, au terme d'une agonie, ou de vieillesse. Non, ce sera une disparition générale, une décimation collective, la même mort pour tout le monde, à la même seconde. Un anéantissement du genre humain, une mort qui n'oubliera personne, qui ne fera pas de jaloux, pas de vainqueurs non plus.

Je me souviens que le ciel était lourd. Les arbres frissonnaient dans nos fenêtres et ce frisson, c'était le seul mouvement palpable. Car il régnait un silence terrible, impensable, et on aurait juré que le temps s'était figé, que la marche des hommes s'était interrompue.

De manière tout à fait incongrue, j'ai estimé qu'il y avait une certaine logique à périr dans une explosion nucléaire quand on était né le jour de l'anéantissement d'Hiroshima. Paul a haussé les épaules, en m'expliquant que, si c'était là tout ce que j'avais à dire, le mieux était encore que je me taise.

Je me suis blotti contre lui, dans le grésillement doux d'une radio que ses parents tenaient branchée en permanence. Ainsi, l'attente de la mort atomique a eu pour moi le confort des bras de Paul. Je l'ai vécue au rythme régulier du soulèvement de son poitrail.

Je sais, on escompte plus de virilité d'un type de dix-sept ans, mais, dans ces moments-là, nous faisons peu de cas de l'opinion que les gens pourraient avoir de nous parce que nous croyons que, très vite, plus personne n'aura l'occasion de formuler la moindre opinion. Paul ne m'a pas tenu rigueur de ma frousse. Et, quand tout a été terminé, il s'est gardé de se moquer de ma couardise. Il n'a jamais évoqué devant quiconque ces longues heures de pur affolement, d'absolue résignation, d'abandon. Il n'était pas du genre causant, de toute façon.

Heureusement, tout n'a pas été aussi sombre. Et, parce que nous avions dix-sept ans, nous étions capables de surmonter n'importe quoi. Ou bien nous avons délibérément cherché à dépasser ces agacements, ces névralgies en nous enivrant de succès faciles et de frivolité. À dire vrai, ni ma conscience aiguë du temps perdu, ni mon embryon de conscience politique, ni l'assurance butée de Paul ne nous ont empêchés de nous comporter en jeunes gens désinvoltes et joyeux. C'était sans doute mieux ainsi.

Les climats subtropicaux nous réservent parfois des hivers étranges. Celui de 1963 fut doux et pluvieux. Je n'en retiens que la douceur. À cela, une raison et une seule : Gladys Beckmann.

Ce que je puis dire de plus exact à propos de Gladys, c'est qu'elle avait quelque chose du sucre d'orge, de la friandise. On en aurait mangé, avec l'appétit et la gourmandise des enfants. Et le 29 janvier 1963, c'est précisément ce que j'ai fait.

Ma mémoire des dates peut surprendre. Mais comment oublier le jour de son dépucelage ?

Ce qui a précédé cet événement (cela en a été un, j'insiste) est d'une banalité tellement effarante que je pourrais me passer de le raconter. J'ai rencontré Gladys au bal de fin d'année, quelques jours avant Noël. Je l'ai invitée à danser, comme le font les jeunes hommes bien élevés avec les jeunes filles offrant des poitrines avantageuses. Elle a accepté sans hésiter, à mon grand étonnement. Du coup, je me suis enhardi et lui ai proposé de prolonger notre duo sur piste de danse. À la fin de la soirée, je ne savais pas grand-chose d'elle, si ce n'est que ses seins me faisaient beaucoup d'effet puisque ça se redressait dans mon pantalon si elle les comprimait trop longtemps contre mon torse rachitique. Pas très romantique, tout ça, j'en conviens. Mais je ne m'étais pas traîné jusqu'au bal de fin d'année pour y faire la connaissance de ma future épouse. Je ne cherchais même pas à tomber amoureux.

Et ce qui m'a plu chez Gladys, c'est qu'elle a admis cette posture d'emblée. Il y a des filles qui exigent de vous des sentiments, des déclarations. Elle n'avait pas ces prétentions. Tout de même, je lui ai fait la cour pendant plus d'un mois avant de me retrouver dans sa chambre. Car elle n'était pas non plus du genre à se jeter au cou des garçons. Si elle n'espérait rien, elle entendait ne pas brusquer les choses. Elle appréciait une montée lente du désir, attendant de la délicatesse de la part de ceux qui s'étaient montrés patients.

Et il est vrai que j'ai été délicat envers elle. Lamentable mais délicat. Cette première fois a été un réel cauchemar. De savoir que je ne suis pas un cas à part me rassure. Pourtant, dans la médiocrité, la gaucherie et le ridicule, j'ai dû frôler des records.

Gladys ne m'en a pas tenu rigueur. Ma nullité l'a même plutôt fait sourire. Et plutôt que de me congédier sur-le-champ et d'aller raconter à ses copines à quel point j'étais une mauvaise affaire, elle m'a offert une deuxième chance. Je n'ai pas le souvenir d'avoir été très brillant mais j'avais toutefois réalisé des progrès notables. Bref, j'ai été repêché, comme dans ces radio-crochets qu'on organisait à travers le pays et qui couronnaient quelquefois non pas le meilleur mais le plus touchant ou le plus laborieux.

Un détail me revient : j'ai utilisé des préservatifs de la marque Peacock.

La chambre de Gladys m'est devenue familière. Son père était voyageur de commerce et ne rentrait que les week-ends. Sa mère travaillait en soirée à la station-essence. Cela nous laissait la maison et du temps, après les cours.

Entre nous, je sais qu'il y a eu de la ferveur, et de la tendresse.

Et puis, quand le printemps est arrivé, nous avons décidé d'arrêter nos coucheries. Certes, nous y prenions toujours du plaisir, cependant une douce lassitude nous avait peu à peu envahis. Nous estimions tous les deux pouvoir envisager des relations moins inconsistantes. Nous nous sommes quittés bons amis. Et je reste reconnaissant à Gladys d'avoir été mon initiatrice. J'aurais pu tomber beaucoup plus mal.

Je me demande parfois quelle femme elle est aujourd'hui. Oui, que deviennent ceux que nous avons aimés et perdus ?

Cette séparation m'a ramené vers Paul. Les beaux jours étaient là. Nous avons eu envie de sentir battre le pouls de la ville. Nous savions depuis toujours que Natchez suintait l'ennui mais on nous avait parlé d'endroits que la vie n'avait pas tout à fait abandonnés, même s'ils ne payaient pas de mine. C'est ainsi que nous avons atterri au Scrooges, sur Main Street.

N'allez pas imaginer un lieu de perdition ou de débauche. C'était tout bonnement une sorte de café-restaurant où on croisait à midi des cadres moyens et des avocats, souvent pressés, des secrétaires du quartier qui se déplaçaient en bande et déjeunaient d'une salade, des jardiniers de la mairie qui prenaient leur pause sous les ventilos, des étudiants qui recopiaient consciencieusement sur des copies blanches le contenu de livres ouverts devant eux, des lycéens bruyants qui commandaient des *soft drinks*, des hommes seuls qui lorgnaient sur le corsage des serveuses ou leur chute de reins, des quinquagénaires qui feuilletaient le journal local et quelques alcooliques accoudés au comptoir, adressant de temps à autre un coup d'œil au poste de télévision qui grésillait au-dessus de leur tête. Bref, une société en miniature concentrée dans le centre-ville, et qui se rassemblait sans pour autant se parler.

On pouvait manger de savoureux sandwiches pour pas cher et passer des heures assis à des tables en Formica sans crainte d'être délogés car Sam, le patron, était compréhensif. Sam était aussi, et peut-être surtout, fatigué. On ne voyait que cette fatigue, un épuisement qu'il aurait attrapé à la naissance, comme une maladie génétique. Il ne se plaignait pas mais tous ses gestes étaient ralentis, tous ses déplacements exigeaient un effort monumental au point qu'il préférait rester derrière sa caisse, bien calé dans un fauteuil haut d'où il dominait son monde et la situation. Il pesait plus de cent kilos et toutes ses chemises étaient dégoulinantes de sueur. Nous adorions cet endroit.

Nous n'y faisions rien de bien passionnant, pourtant, traversant les heures dans un désœuvrement presque total, échangeant quelques mots, de-ci, de-là, saluant les types qui rentraient parce que nous avions appris à les connaître, observant le ballet lent et incessant de la rue derrière la baie vitrée, comptant le nombre de bières que le vieux Parkinson était capable d'avaler en une heure. Nous avons fumé là nos premières cigarettes et ingurgité pas mal de donuts. Nous y avons invité des filles qui ne revenaient pas forcément le lendemain sans que nous en soyons chagrinés. Nous y avons joué aux fléchettes, et glissé pas mal de pièces dans la fente du flipper ou celle du juke-box, et parfois bûché nos examens. Tout cela peut paraître creux et sans intérêt. Ça l'était sans doute. Mais quelle importance ?

C'était le commencement de notre indépendance, de notre existence de jeunes hommes. Nous nous éloignions de la maison pour la toute première fois, nos parents ne nous chaperonnaient plus, nous faisions ce qui nous plaisait. N'étant pas des révolutionnaires ni même des révoltés, nous n'avions rien trouvé de mieux pour profiter de notre liberté toute neuve que les banquettes moelleuses du Scrooges. Cela nous suffisait.

On peut sans doute mieux employer son temps libre : préparer son avenir ou, au contraire, mordre à pleines dents dans l'instant présent ; se mobiliser pour quelques causes ou travailler à son propre destin ; rencontrer de nouvelles têtes, élargir son horizon, lire tous les livres, voir tous les films. Nous n'avons rien fait de tout cela. Moi, je ne le regrette pas. C'était la vie aussi, cette inutilité, ces heures inoccupées. C'était notre vie.

En réalité, nous pressentions, Paul et moi, le risque d'être séparés dès l'automne ; alors il nous fallait être ensemble, juste tous les deux, pour le temps qui subsistait.

Car la question qui allait se poser à nous était d'une absolue simplicité, d'une aveuglante clarté : rester ou partir.

En octobre, nous aurions l'âge d'arrêter nos études ou de les poursuivre ailleurs. Nous n'allions sans doute pas emprunter la même direction. Paul n'avait jamais vraiment aimé l'école et ses résultats avaient constamment été moyens. De mon côté, j'étais paresseux mais j'avais des facilités et puis, la littérature me tentait un peu (le reste me rebutait). J'avais repéré que l'université d'Oxford proposait de bons enseignements en la matière. J'avais le projet de m'y inscrire. Les parents de Paul le poussaient à les rejoindre : il faudrait bien qu'un jour quelqu'un prenne leur suite à l'épicerie. C'était une belle affaire, qui marchait bien, qui pouvait faire vivre une famille, sans la moindre difficulté. Nous devinions que l'heure des choix allait sonner.

C'est en juin que les décisions ont été arrêtées. Nos pressentiments étaient les bons. Je venais de recevoir la confirmation qu'une bourse m'était octroyée. Nous ne disposions plus que d'un été.

Bien sûr, nous avons cherché à minimiser la dislocation qui allait se produire. J'ai fait remarquer à Paul qu'Oxford n'était pas si loin et que je reviendrais à Natchez tous les week-ends. Mais, au fond de nous, nous avions compris que c'était autre chose qui nous attendait désormais, une existence dans laquelle l'autre n'aurait plus la première place, un âge où il nous faudrait nous débrouiller par nous-mêmes, un autre chemin.

Cette conscience a donné une saveur étrange à cet été 1963, celui de nos dix-huit ans. Une même tristesse nous a étreints, un même accablement alors que nous aurions dû nous croire les rois du monde. Nous avons accompli des efforts prodigieux pour ne rien montrer, pour ne jamais évoquer l'automne qui se profilait, nous forçant à sourire, à nous amuser, à prendre du bon temps ; et nos tentatives ont échoué quelquefois. Nous étions des hommes pourtant, et ce sentimentalisme de mauvais aloi aurait dû nous être épargné. Mais nous avions passé trop d'années ensemble, toutes les années de notre vie.

Cet été-là, les parents de Paul ont eu, une fois de plus, une riche idée pour son anniversaire. En cadeau, ils lui ont offert une voiture, une Lincoln d'occasion. Elle était verte, d'un vert pomme aisément reconnaissable. Quand nous y sommes entrés, nous avons été frappés par une odeur d'urine, qui s'est révélée persistante, et très gênante les jours de grande chaleur. Nous avons remarqué aussi que le siège de cuir rouge de la banquette arrière était entaillé par endroits et que le tableau de bord attestait de nombreuses heures de route. Mais nous n'avons pas fait les difficiles. Je dis « nous » comme si ce cadeau m'était aussi destiné. Je devrais faire plus attention car j'ai trop souvent la tentation de l'appropriation, de la globalisation. Toutefois, si Paul a effectué son premier voyage avec son père (lequel lui a appris les rudiments de la conduite), très vite, c'est moi qui ai occupé la place du mort. Cette voiture qui était la sienne est donc devenue rapidement la nôtre.

Disposer d'une voiture, cela signifiait nous échapper, rejoindre l'autoroute, embrasser des paysages neufs, pénétrer dans des villes inconnues de nous, prendre l'air.

Nous avons donc emprunté la Highway 84 et traversé le pont pour nous retrouver en Louisiane. Nous avons roulé vitres ouvertes, radio à fond, chantant à tue-tête, sur des routes rectilignes, encadrées par des chênes dégoulinant de mousse espagnole. Nous sommes descendus en pays cajun, à Lafayette, que nous n'avons pas aimée, parce que c'est une ville qui n'a pas de centre, et pas d'âme. Nous avons continué en direction des marais, infestés de moustiques, et nous avons même circulé dans les bayous sur une embarcation de fortune, apercevant des alligators d'apparence placide mais qu'on nous assurait fort dangereux. Nous avons suivi la route des plantations, qui exhalait le parfum étrange d'une puissance désormais morte. Ce n'était pas le dépaysement espéré mais ce qui importait, c'était de mettre des miles entre la maison et nous, de faire tourner le compteur, d'être dans le soleil, dans la moiteur, de ne nous soucier de rien. Je fais partie de ces rares Américains qui n'ont aucun goût pour les voitures (je ne possède d'ailleurs pas le permis de conduire) mais je me remémore avec un plaisir déchirant notre chevauchée dans la Lincoln à travers le golfe du Mexique.

Nous avons dormi dans un motel dont j'ai oublié le nom (peut-être n'en avait-il pas). La chambre était miteuse (nous n'avions pas d'argent). Elle donnait sur une mangrove superbe plantée de palétuviers fantomatiques ; dans le lointain, on apercevait des maisons créoles. La logeuse qui nous a reçus, une grosse femme aux seins lourds et aux cheveux collants, nous a regardés d'un sale œil. Au début, nous avons cru qu'elle rechignait à louer à des jeunes gens. Son établissement n'était pourtant pas du genre à se montrer sélectif. Nous avons compris plus tard qu'elle éprouvait le plus vif dégoût pour les garçons qui dormaient dans le même lit. Il aurait été facile de lui expliquer que nous étions fauchés. Il était plus facile encore de la laisser mariner dans sa bêtise et dans sa graisse.

Curieusement, Paul et moi avons attendu d'avoir dix-huit ans pour nous retrouver dans les mêmes draps. Et cela ne nous est plus jamais arrivé par la suite. Il faisait une chaleur épouvantable dans cette chambre sans climatisation, dont le ventilateur ne fonctionnait évidemment pas, et dont la literie était incertaine et poisseuse. Nous avons très mal dormi et nous sommes repartis tôt le lendemain matin. Je n'ai pas conservé de souvenir précis de cette unique nuit passée « ensemble ». Je me rappelle simplement que je me suis réveillé le premier, que je suis allé prendre une douche derrière un rideau en plastique moucheté et qu'en revenant de la salle de bains (un terme extravagant pour désigner pareil cagibi), Paul dormait encore, couché sur le ventre. Ses épaules étaient constellées de grains de beauté. Il m'a semblé ne l'avoir jamais remarqué auparavant.

Nous avons dansé aussi, cet été-là. Nous n'étions pas de bons danseurs.

Nous n'osions pas nous lancer dans des rocks endiablés car nous supposions nos partenaires exigeantes. Le twist nous obligeait à des déhanchements ridicules et à des contorsions disgracieuses mais nous nous y risquions parce que cela se dansait seul ou, au moins, à distance, et que c'était la musique à la mode. Les slows nous trouvaient plus assidus parce qu'ils ne demandaient aucun talent et favorisaient les rencontres. Pour le reste, nous passions le plus clair de notre temps vautrés sur des banquettes tachées de bière, mimant l'attitude de ceux que ce genre d'activités indiffère absolument, mais guettant avec une discrétion qui n'échappait à personne celles qui nous proposeraient d'être leurs cavaliers. Il s'agissait d'une occupation parfois humiliante mais j'aimais la sueur qui coulait dans nos dos, les paquets de cigarettes que nous enroulions dans la manche de nos tee-shirts, le blue-jean déchiré aux genoux de Paul, nos jambes écartées et notre jeunesse.

Et puis, l'automne est arrivé. Nous avons cessé de danser.

Il a fallu nous résoudre à nous dénouer. Un ciel gris, pluvieux aurait été bienvenu, mais c'était le soleil encore, l'été n'en finissait pas de mourir. Nous nous sommes disjoints dans une lumière éclatante. Sans un mot. Nous nous sommes contentés d'une poignée de main brève, qui se voulait virile et qui n'a été que maladroite.

J'avais la gorge serrée et une valise très lourde. Ma mère sanglotait, ce qui n'arrangeait rien. Les Bruder se tenaient en retrait, bien droits, sur le perron de leur magasin. Le bus n'a pas fait de sentiment. Je m'y suis engouffré précipitamment et il est reparti aussitôt. Je me suis assis au premier rang, je ne me suis pas retourné, je ne voulais pas voir la distance se creuser entre eux et moi.

Les images ont défilé dans ma tête, en désordre : les baignades dans le fleuve, les matins mornes dans l'épicerie, le chemin du retour après la classe, les pompes à essence du vieux Dickinson, les veines gonflées sur les bras de Paul dans l'effort, son sourire chavirant quand il me regardait le rejoindre, la poussière sur nos bottes dans les chemins de terre, le bras du tourne-disque posé sur le vinyle tandis que nous écoutions Chuck Berry ou Buddy Holly, le soleil sur les gradins déserts du stade, le balancement d'un rocking-chair, le claquement d'un drapeau, mes cheveux dans les yeux quand Paul les ébouriffait, de la pluie sur les carreaux certains soirs d'hiver, nos visages illuminés par la télévision, nos endormissements sur le canapé, le fleuve à nouveau comme un rendez-vous, beaucoup d'autres encore. Et puis, c'est le paysage qui s'est mis à défiler. Voilà, j'étais une grande personne.

Chaque Américain est capable de dire exactement où il se trouvait et ce qu'il faisait, le 22 novembre 1963, aux premières heures de l'après-midi.

Moi, je travaillais dans ma chambre à l'université en mangeant un sandwich au poulet (j'avais pris l'habitude de m'isoler avant la reprise des cours, me tenant à l'écart d'une institution dont je ne comprenais pas encore toutes les subtilités ni tous les bourdonnements). La rumeur s'est propagée telle une traînée de poudre, parvenant finalement jusqu'à moi. C'est un garçon que je connaissais à peine, Teddy Rockwell, et que je n'ai d'ailleurs presque jamais plus croisé par la suite, qui m'a appris officiellement la nouvelle. Ses mots étaient très simples, je les lui ai pourtant fait répéter trois fois. Je n'arrivais pas à y croire. Personne n'arrivait à y croire.

Donc, d'abord, il y a eu cette incrédulité. Puis un effroi général, puis un abattement, une tristesse incroyable. Il y a eu la peur aussi, parce que quelqu'un avait osé. Il y a eu l'orgueil blessé, parce que ce genre de chose ne pouvait pas arriver, pas à nous, pas ici, pas dans ce pays. Il y a eu la conscience de notre fragilité : nous étions donc un colosse aux pieds d'argile. Il y a eu le face-à-face saisissant avec notre propre noirceur : l'ennemi ne provenait pas du dehors, du lointain, il était parmi nous, il était en nous. Il y a eu la révolte, parce qu'on ne peut pas disparaître si jeune, surtout lorsqu'il reste tant à accomplir.

Je me suis rendu à la cafétéria pour regarder ce que montrait la télévision. Je me souviens de la tête de Walter Conkrite, le présentateur du journal : il retire ses lunettes, il parvient à peine à prononcer les mots, à dire l'indicible. C'est inoubliable.

(Bien plus tard, j'ai vu les images comme tout le monde, dans l'hébétude. La tête qui part en arrière, le silence infinitésimal de l'incompréhension, la voiture décapotable qui accélère brutalement, le tailleur taché de sang de Jackie, une chape de plomb comme un temps trop long entre deux battements de cœur, et puis l'affolement, les cris de la foule, sa dispersion.)

De la cafétéria, j'ai appelé Paul. Mon premier réflexe a été d'appeler Paul. Ayant composé le numéro de ses parents, je suis tombé directement sur lui. Je lui ai demandé s'il savait. Il ne savait pas. Je n'ai pas vu son visage en cet instant, bien sûr, mais j'ai tout deviné, absolument tout, de son expression. Nous sommes restés longtemps au téléphone, j'entendais son souffle court. Il a juste fini par articuler : « Comment ont-ils pu ? »

Nous n'avons toujours pas trouvé la réponse.

Si mon entrée à Oxford a été marquée par ce drame initial, la suite, au moins dans un premier temps, a été beaucoup plus paisible. J'ai expérimenté, en effet, une fausse tranquillité, une tranquillité cotonneuse, celle qu'encourage le repli sur soi. J'aurais dû m'ouvrir aux autres puisque, enfin, j'avais quitté le cocon. Aller vers de nouvelles têtes. Il n'en a rien été. Je me suis tenu à distance, ou sur le côté comme si d'avoir vécu si longtemps dans la seule ombre de Paul me portait à la sauvagerie, à l'insociabilité. Je me sentais parfaitement incapable de me faire de nouveaux amis. Quant aux cours, je m'y rendais mais j'y étais parfaitement transparent. Je passais le plus clair de mon temps enfermé dans ma chambre. Et j'attendais impatiemment le week-end pour rentrer à Natchez – ce Natchez sur lequel j'avais tant craché – et retrouver Paul.

Même les filles ne m'intéressaient guère. J'avais perdu le goût du bonheur, je n'avais pas encore celui de la conquête.

J'ai ainsi établi assez vite une solide réputation de bonnet de nuit. J'étais le type le moins drôle du campus, le plus solitaire. On me trouvait du charme pourtant, on me le répétait. On me reconnaissait de la valeur et on s'inclinait devant mes résultats. On ne me savait pas d'arrogance ni de traumatisme. On me laissait donc dans mon coin, en attendant que je me résigne à changer. On se passait fort bien de moi et on ne mettait rien en œuvre pour venir me déloger de mon isolement. On se disait qu'un jour, sans doute, je finirais par grandir.

C'est venu imperceptiblement, avec la fin de l'hiver. J'ai commencé à discuter avec des inconnus, à mettre des noms sur leurs visages, à accepter qu'on s'assoie à ma table au restaurant universitaire (où j'avais fini par consentir à déjeuner), à échanger des points de vue sur les professeurs, sur les cours, je suis allé boire des bières dans un bar fréquenté par les étudiants, j'ai invité certains d'entre eux dans ma chambre, je me suis retrouvé dans la leur, j'ai emprunté le bus avec eux pour gagner le centre-ville, appris à me coucher tard. Après des débuts confidentiels, je me suis intégré à la communauté. J'en suis devenu un membre à part entière. Il n'est resté que quelques plaisanteries sur ma timidité des commencements.

Et puis, je me suis mis à fréquenter cette fille, Julia Scott. Elle suivait les mêmes cours que moi, louait un studio en ville. Elle était rousse et savait ce qu'elle voulait. Nous avons été amants très vite, sans hésitation métaphysique, sans culpabilité, sans illusions non plus. Je crois même que nous avons formé un couple. En tout cas, c'est ainsi que les autres nous voyaient, et parlaient de nous. Nous les laissions dire. Nous n'étions pas amoureux pourtant. Épris, sans doute. Nous partagions surtout de nombreux points communs. Elle aurait pu être seulement une amie. Mais les garçons ne veulent jamais les filles pour amies seulement. À moins qu'elles ne soient très laides, ce qui n'était pas le cas de Julia.

À la même époque, j'ai fait la connaissance d'Arthur Powell. Certains êtres ont une folle allure, on les remarque d'emblée au milieu d'une foule, oui, ils attirent l'attention, sont susceptibles d'agacer mais finissent par susciter le respect et l'affection. Arthur était de ceux-là. Un érudit aux manières de dandy, un intellectuel un rien décalé, un romantique qui aurait lu tous les livres, un mélomane qui parlait du blues et du rock comme personne. Il faisait figure d'extraterrestre dans ce Sud de culs-terreux, provoquait quelques sarcasmes mais gagnait à être connu : tous ceux qui l'approchaient finissaient par tomber sous son charme. Je n'ai pas failli à cette règle.

Nous avons sympathisé autour de Steinbeck et des Beatles. Cette sympathie réciproque ne s'est jamais démentie. Arthur est aujourd'hui journaliste au *Washington Post*. Nous nous parlons souvent au téléphone. Surtout ces temps-ci.

Arthur a été à l'origine d'une révélation assez bouleversante, celle que je pouvais admettre dans mon existence, la compagnie d'un autre garçon que Paul. Il a été, en effet, le premier homme à gagner mon amitié, à la recevoir. J'en ai d'abord éprouvé une sorte de culpabilité. Personne ne me paraissait assez fort pour atteindre à cette communion fusionnelle que je connaissais avec Paul, cette symbiose. Personne ne pouvait être autorisé à prendre la place occupée par lui. Du reste, personne n'y a réussi. Simplement, je me suis rendu compte qu'il y avait de la place, *à côté de lui*, pour quelqu'un d'autre.

Lorsque je suis rentré à l'occasion des grandes vacances, celles de l'été 64, les choses avaient lentement mais radicalement changé. Non, plus rien n'était vraiment pareil.

Paul était devenu un employé, avec une vraie occupation, de vrais horaires, un vrai salaire fixe. Et une vraie petite amie. Sarah Williams. Une fille de Baton Rouge, « exilée » à Natchez pour des raisons professionnelles. C'est chez nous qu'elle avait dégoté un emploi, celui de secrétaire dans un cabinet d'avocats.

Paul l'avait évoquée au cours de nos conversations téléphoniques, mais sans jamais vraiment s'attarder. Je l'avais même croisée, un week-end, sur Main Street : elle faisait les soldes un samedi où Paul et moi retournions au Scrooges, histoire d'entretenir la nostalgie. Nous avions discuté rapidement sur un trottoir. Paul s'était contenté de l'embrasser sur la joue, ne lui avait pas proposé d'entrer prendre un verre avec nous. J'en avais déduit qu'il ne s'agissait pas d'une histoire importante. Et, désormais, elle était là. Elle conversait avec les époux Bruder, comme si elle les connaissait depuis toujours. Elle montait à la place du mort dans la vieille Lincoln. Et saluait Paul d'un baiser sur les lèvres. Il s'en était fait du chemin, sans que je m'en rende compte, sans que Paul ne m'en dise rien.

J'ai alors pris conscience que nous avions chacun nos petits secrets, nos petites cachotteries. De mon côté, je dois avouer que je n'avais pas été très disert à propos de Julia et d'Arthur et que je n'avais pas révélé grand-chose de ma vie sur le campus. Au fond, nos conversations téléphoniques (nombreuses d'abord, et puis plus espacées) se résumaient le plus souvent à un échange de banalités et lorsque nous nous retrouvions le week-end, c'était davantage pour nous remémorer le « bon vieux temps » que pour parler du présent.

C'est cette discrétion sur nos existences respectives qui a creusé un écart entre nous, une faille d'abord à peine visible mais qui s'est ouverte au point de nous détacher l'un de l'autre, qui nous tenions désormais chacun debout sur notre rive.

Il y a autre chose encore : je crois que nous

redoutions de nous faire de la peine, en laissant apparaître que l'autre ne nous était plus absolument indispensable et que nos centres d'intérêt n'étaient plus uniquement les mêmes. Notre silence sur ce qui nous arrivait, c'était notre manière de préserver l'autre et d'entretenir le mythe de ce qui nous avait unis. Ce silence était une erreur grave. Il nous a éloignés davantage encore.

Cet été-là, Paul et moi n'avons jamais vraiment réussi à trouver le temps de nous voir, ni celui de nous amuser. Lui était accaparé par les obligations du magasin et par les exigences de Sarah tandis que je tentais d'occuper mes journées en travaillant mollement les cours dans lesquels j'avais obtenu des résultats médiocres et en effectuant quelques extras au Scrooges, puisque Sam avait eu la gentillesse de me recruter comme serveur occasionnel afin que je me fasse un peu d'argent de poche.

Du coup, nous nous contentions de nous apercevoir, et quand nous réussissions à nous consacrer un moment, il venait toujours quelqu'un.

Il n'a pas fait très beau non plus. Nous avons eu des pluies chaudes, des ciels bas, des soleils hésitants, des nuages effilochés. C'est bête à dire mais la météo ne nous poussait pas à sortir. Le temps était si incertain qu'il interdisait tout projet.

À l'automne, j'ai repris le chemin de l'université, le cœur un peu lourd. Il me semblait que quelque chose s'était dilué, s'était perdu. L'été me laissait un goût amer.

Je me suis consolé dans les draps de Julia. Nous nous étions quittés en juin, elle et moi, sans nous jurer fidélité, sans établir le moindre pronostic sur l'avenir, sans rien nous promettre non plus. Nous nous sommes revus à la fin de septembre et nous avons immédiatement repris notre liaison là où nous l'avions interrompue.

C'est une chose curieuse, tout de même. Nous n'avions ni l'un ni l'autre éprouvé de manque, nous appelant quelquefois, mais sans excitation particulière, sans désir manifeste. Dans le même temps, nous n'avions pas songé à entamer une aventure avec quelqu'un d'autre. Il ne se serait pas agi d'une tromperie, encore moins d'une trahison. Pourtant, nous nous sommes abstenus, nous avons fait abstinence. L'été était une parenthèse à présent refermée et nous pouvions goûter à nouveau aux plaisirs du sexe. Et peut-être de l'amour.

Julia avait une peau d'orange, ce qui, dans ma bouche, est un compliment. C'est-à-dire qu'à sa surface, un peu partout, surgissaient des grains. Elle n'était jamais lisse, douce. On avait l'impression qu'elle frissonnait en permanence. Sauf qu'elle ne frissonnait pas, c'était son état naturel. Du coup, si elle frissonnait vraiment sous mes caresses, je n'étais pas capable de l'évaluer. Mais je disposais d'autres repères et d'autres critères pour être certain que nous nous plaisions.

Julia possédait également un caractère bien trempé. Elle manifestait ainsi un penchant très net pour la bagarre. Elle avait toujours besoin d'un adversaire à boxer, d'une cause pour laquelle s'enflammer, d'une colère à exprimer. Au début, cela m'avait un peu décontenancé. Et puis, j'avais fini par m'habituer à ses emportements, à son impétuosité. Elle avait des dispositions pour être une égérie. J'en avais pour être le compagnon d'une égérie.

Au cours de l'hiver 1965, elle s'est engagée dans la lutte pour les droits civiques. On aurait pu croire qu'elle avait un train de retard puisque le président Johnson avait fait adopter une loi par le Congrès six mois plus tôt. Cette loi, prétendait-elle, était évidemment importante mais « premièrement » elle n'était pas suffisante et il fallait travailler à l'améliorer, « deuxièmement » elle avait, par une sorte d'effet boomerang, renforcé le camp de ceux qui souhaitaient le maintien de la ségrégation et leur avait même redonné de la voix : il convenait de les réduire au silence. Son analyse n'était pas erronée, surtout dans ces États du Sud qui avaient majoritairement voté contre Johnson, quand, dans le même temps, celui-ci était élu à plus de soixante pour cent des suffrages. Au fond, elle pressentait ce que les politologues ont désigné plus tard comme le « revirement décisif » et devinait que le bouillonnement du campus n'était pas qu'une agitation de surface. Pas si mal pour une jeune femme de vingt ans.

C'est ainsi que je me suis retrouvé à participer à des sit-in, à porter des banderoles, à défiler dans les rues d'Oxford, à distribuer des tracts sur le campus, à écouter des discours sur les émeutes raciales dans les banlieues et à participer à l'« exaltation de la négritude ». C'était ma pente naturelle. Julia m'a aidé à la dévaler.

Arthur observait notre activisme militant avec une moue dubitative. Non qu'il ne fût pas solidaire de nos combats mais il avait décidément adopté la posture de l'intellectuel ironisant. Il validait la justesse de notre engagement mais n'appréciait guère nos débordements, notre enfièvrement. Il estimait qu'on pouvait protester dans le calme et qu'on avait tort de voter avec ses pieds dans la rue quand on disposait de la faculté de le faire avec ses mains dans les urnes. Il croyait aussi au pouvoir des journaux, des tribunes. Il regrettait que nous ne sachions pas mieux nous en servir. Son embauche au *Post* quelques années plus tard ne nous a pas surpris.

Et puis, Arthur s'amusait de mon rôle de prince consort, puisqu'il regardait Julia comme la reine de la contestation. Il se moquait gentiment de mon suivisme, se lamentait que je n'aie pas de convictions propres, mais seulement celles de la personne avec qui je couchais. Son jugement me blessait un peu. Sans doute parce qu'il visait juste.

Je n'ai pas osé parler à Paul de mes divertissements politiques. Je savais qu'il me les aurait reprochés. Pas violemment, non, ce n'était pas dans sa nature. En fait, il les aurait désapprouvés tranquillement et fermement avant de passer à autre chose. De savoir qu'il ne me soutenait pas me suffisait : je n'avais pas besoin de l'entendre prononcer les mots de son désaccord. Je ne voulais pas me disputer avec lui, voilà.

Admettons, pour résumer, que je n'étais pas un garçon sûr de lui. Ni très entreprenant. Ni très courageux.

Et puis j'ai eu vingt ans, et je suis parti à la recherche de mon père.

Cela peut paraître la posture de celui qui s'est enfin décidé à prendre son destin en main, à s'affirmer, à se confronter à l'inconnu et au risque. Pourtant, je m'empresse de préciser que je n'ai guère été moteur dans cette démarche. Au moins au démarrage.

En réalité, c'est Julia, encore elle, qui m'a exhorté à entamer des investigations. Elle trouvait « absolument insensé » que je n'aie jamais cherché à savoir qui était mon père, à le rencontrer. Elle était « abasourdie » que je ne connaisse même pas son nom. Mon absence totale de curiosité l'affligeait sincèrement. Comme elle n'était pas de ces filles qui prennent des pincettes pour aborder les sujets supposés délicats, elle m'a, à plusieurs reprises, carrément insulté et pratiquement ordonné de « faire quelque chose ». Il était inconcevable que je sois un fils sans ascendant toute ma vie. Je n'étais pas un orphelin, je ne pouvais pas prétendre à ce titre. Il y avait une grande chance que mon géniteur soit vivant, tout le monde n'avait pas cette chance, je devais donc entreprendre tout ce qui était humainement envisageable pour ne pas « mourir ignare ».

J'ai eu beau lui expliquer que je m'étais jusque-là très bien débrouillé sans lui ; que son absence n'avait pas été un traumatisme ; que ma mère m'avait implicitement demandé de ne pas ouvrir la boîte de Pandore ; qu'il était, de toute façon, sans doute périlleux de vouloir à toute force faire la connaissance d'un homme qui m'avait, en conscience, abandonné, rayé de son existence ; que la probabilité de l'identifier était infime ; que le choc d'éventuelles retrouvailles pouvait être plus déstabilisant qu'un sain statu quo et je ne sais plus quoi encore ; rien n'y a fait. Julia n'a pas été ébranlée dans ses certitudes, et pas embarrassée le moins du monde de fouiller ainsi mon intimité, et même d'en disposer.

J'ai fini par céder.

Je suis rentré à Natchez pour annoncer ce projet à ma mère. C'est peu de dire que son accueil n'a pas été chaleureux. Je l'ai vue se renfrogner aussitôt. Je redoutais sa détresse : j'ai eu droit à sa réprobation. Je craignais des larmes : j'ai écopé de cris.

C'est, du reste, une des seules fois où elle a élevé la voix contre moi. Elle était une femme posée et résignée, se laissant rarement emporter. Elle avait souffert beaucoup, j'en suis persuadé. Cela la portait, sinon à la clémence, au moins à la mesure.

Et puis, j'étais son seul enfant. Elle ne m'a pas gâté pour autant. Mais je reconnais qu'elle m'a octroyé – et même plus que cela : aménagé – une enfance douillette et surpro-tégée, une adolescence insouciante et libre. Elle a tout fait pour ne pas me perdre. Sans quoi, c'est elle qui se serait perdue.

Elle devait donc estimer qu'en retour j'étais moralement tenu de lui épargner tout désa-grément, tout souci. Son courroux a été à la hauteur de sa déception, de sa désillusion.

Contre toute attente, je n'ai pas flanché. J'aurais pu tout aussi bien abandonner ma résolution dans la minute mais je m'étais approprié cette idée et j'entendais la mener à son terme. C'était même impératif et urgent. J'avais la ferveur débordante des fraîchement convertis. En me poussant dans mes retranche-ments, Julia avait fait sauter un verrou. Il fallait désormais ouvrir la porte, même si j'allais au-devant de périls.

Ma mère a été ébranlée par ma résistance. Elle n'avait pas vu son fils changer.

Elle en a quand même profité pour m'asséner quelques vérités blessantes. « Souviens-toi que ton père ne t'a pas voulu, pas vu naître, pas reconnu, pas élevé, pas vu grandir, pas aimé. Il nous a abandonnés sans un regret. Il nous a laissés sans argent, n'a jamais pris de nos nouvelles, ne s'est jamais inquiété de notre sort. »

La crudité de ses propos m'a envoyé valser. Néanmoins, je me suis relevé. Et je suis reparti au combat. Je n'allais pas céder maintenant. J'étais prêt à tout, au pire y compris. J'ai confirmé mon désir de mener mon enquête, de la faire aboutir, indiqué que ce n'était « pas négociable ». J'avais l'insolence de mes vingt ans. La méchanceté aussi.

J'ai conclu notre échange par une question binaire : « Es-tu disposée à m'aider, oui ou non ? » Ma mère a acquiescé, en silence.

Julia, à qui j'ai, par la suite, raconté cette conversation, m'a félicité d'avoir tenu bon et a salué mon aplomb. J'ai accueilli ses compliments et ses encouragements en flageolant.

Ma mère a dit : « Ton père s'appelle John Faulkner. » D'un coup, il a eu une identité. Cela a été considérable, impressionnant, vous n'imaginez pas. J'ai songé qu'elle avait vécu toutes ces années, vingt, avec cette identité enfouie en elle, jamais dévoilée, jamais nommée. Qu'elle avait gardé ça, comme un secret, comme une maladie. Et là, elle l'expulsait. Elle accomplissait cet acte presque inconcevable, indécent : elle prononçait le prénom et le nom de l'homme. Elle l'extirpait de l'anonymat, du rien. Il s'est mis à exister. D'avoir une identité l'a rendu vivant, humain.

John Faulkner.

Mon père portait le nom d'un des plus grands écrivains américains. S'il n'avait pas déguerpi, j'aurais porté ce nom moi aussi. J'aurais été Thomas Faulkner. On m'aurait demandé si j'avais un lien de parenté.

J'ai trouvé que ça avait de la gueule, un nom

pareil. Parfois, les salauds ont des identités magnifiques.

Elle a ajouté : « Il était de Savannah. Quand nous en sommes partis, il y est peut-être revenu. Toute sa famille était de là-bas. Je ne sais rien d'autre. »

Savannah est la ville qui figure sur mes papiers d'identité, je vous ai expliqué cela, au commencement de mon récit. J'avais quelques mois quand nous l'avons quittée, je n'y étais jamais retourné, n'ayant rien à y faire. C'étaient mes origines mais pas mon histoire.

J'ai finalement demandé si elle avait conservé une photo de lui. Elle m'a répondu qu'elle n'en avait jamais possédé, ce qui lui avait évité d'avoir à les détruire. Elle a enchaîné en m'indiquant, comme si elle avait deviné ma question d'après, qu'elle avait égaré son visage, ses traits, que ça s'était estompé avec les années, qu'elle ne pourrait pas me fournir de renseignements à ce sujet. J'ai pensé : Comment peut-on égarer le visage du père de son enfant ? Quelle hargne cela suppose-t-il ? ou quel désespoir ?

Ma mère s'est retirée du living dans sa chambre. Elle a refermé la porte derrière elle, calmement, comme pour ne pas faire de bruit. Elle était livide et triste. Moi, je n'en menais pas large. À nouveau, je lui infligeais une souffrance. À nouveau, je ne pensais qu'à moi. J'avais le souffle court. Un vertige m'a forcé à m'asseoir dans le canapé. C'est là que Mrs. Bruder m'a trouvé quand elle est entrée chez nous pour nous apporter un panier de fruits mûrs. En rigolant, elle m'a lancé : « On croirait que tu viens de croiser un fantôme. »

J'ai tenté de rassembler mes esprits, de réfléchir. Très vite, je me suis dit qu'avec des indices aussi faibles ma tâche n'allait pas être facile, que mes chances de succès étaient infimes. Je me trompais. Les gens du Sud sont des sédentaires. Ils ne s'éloignent jamais vraiment de leurs racines.

Lorsque je me suis ouvert à Paul de mon intention de me rendre en Géorgie sur les traces de mon père, j'ai été étonné par sa réaction. Je supposais qu'il chercherait plutôt, lui aussi, à me décourager. Il considérait qu'il était généralement inutile de déranger l'ordre des choses et n'avait jamais perçu l'intérêt d'explorer les territoires obscurs de nos existences.

À ma grande surprise donc, il m'a expliqué que ma démarche lui semblait sensée. Et terminé sur ces mots douloureux : « Quand on a la possibilité d'aller rechercher ses disparus, pourquoi on devrait se l'interdire ? »

Je lui ai alors demandé – ce qui n'était pas

prévu dans mon plan initial fondé sur l'hypo-
thèse de sa désapprobation – s'il acceptait de
m'accompagner. Il m'a répondu oui, sans la
moindre hésitation. J'ai sauté à son cou. Cette
effusion l'a fait sourire. Elle le ramenait, sans
doute, des années en arrière.

*Quand on a la possibilité d'aller rechercher ses
disparus, pourquoi on devrait se l'interdire ?*

Le 17 septembre 1965, nous avons pris la Lincoln et roulé en direction de Savannah. Paul a conduit, forcément. En silence. Il n'a pas allumé la radio. Il y avait quelque chose de grave et de solennel dans notre expédition. Nous n'étions pas des jeunes gens en goguette. Nous avions une mission à accomplir.

Je me souviens mal des paysages traversés. Si je fais un effort de mémoire, je revois des poteaux télégraphiques, le bitume de l'autoroute, la signalisation au sol, des arbres sur le parcours plantés à équidistance, des pompes à essence, des banlieues indifférenciées, les néons fatigués d'un drive-in, cela pourrait être n'importe où en Amérique.

La seule chose que je me rappelle, c'est que nous avons dormi à Montgomery, dans l'Alabama. Encore un motel minable. Mais, cette fois, nous avons fait chambre à part.

Nous sommes arrivés à Savannah, en début d'après-midi. C'est une ville pleine de charme, de verdure et de lumière, de statues dans les jardins, de soleil sur les façades aux couleurs pastel, de trolleys sur les pavés. Un endroit où il doit faire bon vivre. On ne m'en a pas laissé l'occasion.

Nous nous sommes rendus au service d'état civil de la mairie. Nous avons expliqué que nous cherchions un certain John Frederick Faulkner, quarante-cinq ans environ. On nous a aussitôt indiqué que deux hommes correspondaient à ce signalement, avant de nous communiquer leurs adresses sans faire de difficultés. Nous les avons notées, sans rien montrer de notre stupéfaction, surpris que tout soit aussi simple.

Étrangement, j'étais convaincu que l'un des deux était bien mon père. Ma mère avait raison : il était, en effet, revenu dans sa ville. Il n'était pas mort. J'allais à sa rencontre.

Nous sommes remontés dans la Lincoln. Nous avons repéré West Bay Street sur la carte. Nous avons roulé au pas, à la recherche du 355. Lorsque nous sommes parvenus à l'adresse indiquée sur le bout de papier, trois heures sonnaient au clocher d'une église. Paul a posé sa main sur ma cuisse, s'est tourné vers moi, a juste demandé : « Tom, tu es sûr que ça va aller ? »

Ce qui s'est passé après, j'ai de la peine à le raconter. La blessure ne s'est pas refermée. Elle me lance encore, certains soirs. C'est mon lot :

les disparus reviennent me hanter régulièrement. Je crois qu'ils se vengent.

Je suis sorti de la voiture. J'ai marché dans
l'allée. Ça sentait l'eucalyptus. J'ai aperçu des
jouets d'enfant dans le jardin devant la maison.
J'ai continué à avancer, sans faiblir, mais sans
accélérer. Tout de même, je sentais le rouge me
monter aux joues, le sang cogner à mes tempes.
Je me suis retourné vers la route. Paul ne
regardait pas dans ma direction. Il avait les
mains accrochées à son volant et semblait en
prière. J'ai pensé qu'il priait pour moi. Et qu'il
entendait me laisser seul, dans cet instant
décisif. Il était tout entier dans cet effacement
et cette ferveur.

J'ai vérifié le nom sur la boîte aux lettres. J'ai
lu « Faulkner ». Alors j'ai sonné à la porte. Très
vite, j'ai entendu des pas dans un escalier et vu
une silhouette se rapprocher derrière la vitre
opaque. C'est un jeune homme qui m'a ouvert.
Dix-huit ans à peine. Moins de vingt, en tout
cas. Tout de suite, j'ai su qu'il avait obligatoi-
rement moins de vingt ans.

J'ai scruté son visage, sans être capable de
prononcer le moindre mot, le souffle coupé.
J'étais au plus près d'un évanouissement. J'ai
puisé au fond de moi une force que je ne
soupçonnais pas pour articuler : « Je suis bien
chez John Faulkner ? »

Le jeune homme a répondu : « Oui, c'est
mon père. »

Le visage que je contemplais, celui qui venait d'articuler ces mots, c'était celui de mon frère évidemment. Puisque c'était mon visage. Puisque la ressemblance était éclatante, écrasante.

Je n'ai pas été fichu de dire quoi que ce soit d'autre. J'ai commencé par reculer et puis je suis retourné à la voiture en pressant le pas. J'ignore si mon frère m'a appelé, s'il a cherché à me retenir. Je me suis engouffré dans la Lincoln, ordonnant à Paul de démarrer. Nous avons longé un cimetière et je me suis rappelé qu'on disait de Savannah que c'est une ville pleine de fantômes. Deux miles plus loin, je l'ai prié de s'arrêter sur le bas-côté. Je suis descendu pour vomir. Une fois remonté, j'ai simplement lancé : « On rentre. »

Paul ne m'a rien demandé. Il ne m'a posé aucune question. Au moment où nous avons franchi la frontière qui sépare la Géorgie de l'Alabama, je lui ai dit : « Je n'ai qu'un frère et c'est toi. » Cela lui a suffi pour tout comprendre. Nous n'en avons plus jamais reparlé.

Lorsque j'ai été de retour à Natchez, ma mère a tenu à savoir ce qu'avait donné mon enquête. Je lui ai menti en lui indiquant que j'avais fait fausse route, qu'il y avait bien deux John Faulkner à Savannah mais qu'aucun des deux n'était celui que je recherchais. Elle a fait semblant de me croire et ne m'a plus interrogé.

Je l'ai soupçonnée longtemps de détenir la vérité, de ne rien ignorer du 355, West Bay Street. Pourtant, je suis certain qu'elle nierait aujourd'hui encore s'il me venait la lubie de la questionner.

J'ai repris les cours à l'université peu de temps après cette « mésaventure ». Julia s'est emportée contre mon refus de lui raconter ce qui s'était produit à Savannah. Nous avons failli nous séparer à cause de cela. Mais la politique nous a sauvés : il restait encore tellement de combats à mener.

Mes activités d'agitateur, aux côtés de Julia la pasionaria, m'ont beaucoup mobilisé au cours des mois qui ont suivi. C'était assurément une sorte de dérivatif. C'était aussi ma façon d'accumuler et de justifier en même temps de fort mauvais résultats. Mes débuts brillants et studieux n'étaient plus qu'un souvenir lointain. Après avoir suscité un vague espoir, je rentrais dans le rang, en rejoignant la cohorte des glandeurs et des médiocres qui peuplent en majorité les universités américaines. Les quelques professeurs qui avaient cru en moi ont tout bonnement jeté l'éponge et entonné leur fameuse rengaine sur le talent gâché. Je ne les écoutais pas. Je ne les écoutais plus. Je n'écoutais que les slogans qui exigeaient la fin effective de la ségrégation et ceux qui s'opposaient à la guerre que les États-Unis avaient la curieuse idée de conduire contre le Vietnam. Bref, j'étais en train de sombrer lentement mais consciencieusement, en croyant refaire le monde et en m'opposant aux puissants comme aux forces obscurantistes.

Je me complaisais aussi dans ce qu'on a appelé après coup (comme si chaque époque avait besoin de labelliser celle qui l'a précédée) la « libération sexuelle ». Si j'étais le compagnon attitré de Julia Scott, cela ne m'empêchait nullement d'être l'amant de quelques autres. Je m'empresse de signaler que Julia ne se montrait guère plus fidèle. Nous ne nous en tenions pas rigueur. C'était ainsi. Nous avions envie d'être des insurgés le jour et de ne rien nous interdire le reste du temps.

La farandole des corps ne me laisse aujourd'hui qu'un sentiment vague de tiédeur et d'alanguissement.

Je poursuivais également mon exploration des paradis artificiels. Après m'être adonné quelque temps à la marijuana, je découvrais les effets du LSD. Parce que je n'étais pas d'un courage débordant, je me contentais d'une consommation raisonnable, qui avait pour seule vertu de me rendre l'existence plus légère qu'elle n'était déjà, et de me faire oublier quelques instants les noirceurs de notre monde.

Ça n'était pas si mal.

Ainsi, nous brûlions le drapeau, crachions sur les églises, exaltions les mélanges raciaux, couchions à droite et à gauche et préparions la révolution psychédélique aux accords du Jefferson Airplane. Je ne regrette rien de cette période, même si je sais aujourd'hui que nous avons échoué sur à peu près tous les plans et que le retour de bâton a été sévère. Et le réveil douloureux.

Mais le véritable événement de l'année 1966 n'est pas à chercher du côté de mes frasques. Il s'est, en réalité, produit à Natchez, loin d'Oxford, de son campus, et de sa contre-culture. Un matin d'été, on a vu revenir en ville Claire MacMullen. Ce retour allait avoir sur le cours de nos existences une influence décisive.

Je vous rappelle que Claire était partie quatre ans plus tôt, direction Atlanta. Elle avait promis alors de revenir : elle tenait sa promesse.

Elle avait écrit à Paul dans les premiers mois de son absence. Et, fait beaucoup plus étonnant, il lui avait répondu. Je n'avais jamais vu Paul entretenir la moindre correspondance. Les lettres n'étaient pas son fort. Les causeries, d'une manière générale, n'étaient pas son fort. Fallait-il qu'il soit mordu de cette fille.

Il avait probablement écrit des mots d'amour, des mots définitifs, des mots dangereux. Et elle aussi.

Et puis, les lettres s'étaient faites plus rares. La distance vient à bout des meilleures disposi-tions. J'en ai fait la démonstration quelques années plus tard. Une démonstration au goût plus qu'amer.

Un jour, le courrier avait cessé. Un autre jour, Sarah Williams, la fille de Baton Rouge, avait fait son apparition. Paul était passé à autre chose, se résignant à ne jamais revoir Claire. Il avait tourné la page, en silence. Je suis certain pourtant que cette abdication lui avait coûté.

C'est peu de dire que le retour de Claire a fait l'effet d'une bombe. D'autant qu'il était tout à fait imprévisible. Ce 4 juillet, jour de l'Indépendance, sa silhouette est apparue sur le chemin qui menait à nos deux maisons. J'étais rentré d'Oxford pour les vacances une semaine plus tôt. Paul était occupé à ouvrir la boutique. Je soufflais sur un mug de café brûlant, debout sur le perron, à peine réveillé, tandis qu'il s'activait. Nous avons reconnu la silhouette tout de suite, sans hésitation, et à la même seconde. C'était immanquable. C'était elle, évidente.

Nous nous sommes adressé un bref regard, où il entrait de la stupéfaction, de la panique, et une joie adolescente, presque égrillarde. C'est Paul qui a fait le premier pas. Il a remisé ses clés dans sa poche, il est descendu du perron, il a marché à sa rencontre. Je suis resté en retrait. J'ai assisté de loin à leurs retrouvailles. Ce qu'ils se sont dit à ce moment-là, je ne le sais pas précisément mais c'était limpide.

Le lendemain, on a vu disparaître Sarah

Williams, dans un grand éclat de furie, dans un énorme fracas. Paul, lui, était placide. Il savait ce qu'il faisait, comme toujours. Sa certitude et sa détermination étaient impressionnantes.

Les parents Bruder ont été interloqués par la soudaineté de sa décision, d'autant qu'ils s'étaient habitués à Sarah. Ils ont été choqués aussi par la violence de la séparation. Mais, à ma connaissance, ils n'ont formulé aucune observation. S'ils se montraient tyranniques dans le travail, ils étaient pleins de respect pour la vie sentimentale de leur fils. Ils ont accueilli Claire comme une revenante.

Et moi dans tout ça ? Curieusement, je n'ai pas été surpris par sa réapparition. Je mentirais si je prétendais que je l'attendais. Si je suis tout à fait honnête, j'ajouterais même que Claire était sortie de mon esprit. Mais pas de ma mémoire pour autant. Elle y avait conservé une place, une place à part, ne demandant qu'à resurgir. J'ignorais quand cela se produirait mais j'étais intimement persuadé, contre toute logique, que cela se produirait.

Il fallait quelqu'un pour écrabouiller nos vies, pour les réduire à néant. Ç'a été elle. Ou alors ç'a été moi.

J'ai souri à la jeune femme, je l'ai serrée dans mes bras, je l'ai laissée venir entre nous. L'été a été merveilleux.

Je veux vous parler maintenant de la nuit du 6 août. Paul et moi avons eu vingt et un ans ce jour-là. Nos parents respectifs avaient organisé une fête commune, dans le jardin des Bruder. Je me souviens très bien des guirlandes accrochées entre les arbres, des lampions allumés aux fenêtres, des tables recouvertes de nappes en papier et de victuailles, du transistor qui diffusait une musique douce, des exclamations de ceux – amis, proches, voisins – qui avaient été conviés, du tintement des verres, de la fumée qui s'échappait du barbecue où cuisaient des steaks saignants, des étincelles que provoquait le petit bois consumé et qui s'envolaient dans le soir, de la bonne humeur, des sourires reposés sur les visages, de la course de quelques enfants entre les jambes des parents, et de l'ivresse qui nous a gagnés à mesure que la fête se prolongeait.

Et puis, peu après minuit, lorsque les invités se sont dispersés, regagnant leurs maisons, lorsque la joyeuse clameur est retombée et que les phares des voitures ont disparu au coin de la rue, il n'est plus resté que ma mère et les parents de Paul dans le jardin, affairés à ranger les bouteilles vides, les assiettes sales, tout en se prenant les pieds dans les cotillons éparpillés sur le gazon.

Paul s'est approché d'eux et, plutôt que de les aider, il a demandé la permission d'aller marcher le long du fleuve en compagnie de Claire et moi : cela ne lui ressemblait guère de solliciter une dérogation, de préférer l'oisiveté, mais je suppose que la douceur du moment et l'excuse de notre anniversaire l'ont conduit à cet écart.

Ce n'était d'ailleurs pas un si grand écart. Après tout, nous étions des adultes, libres de nos mouvements, nous n'avions évidemment aucune permission à demander mais j'ai déjà dit que les rapports de Paul à ses parents étaient très marqués par l'obéissance et puis il y avait une certaine désinvolture à laisser les tâches ingrates à ceux qui nous avaient gratifié d'une jolie célébration.

L'« autorisation » nous a été accordée sans discussion, bien entendu, et nous sommes aussitôt partis tous les trois ensemble en direction des berges.

Je revois précisément la scène.
Le ciel est étoilé, on dirait qu'il y a du sucre dans l'air, les eaux miroitent comme si des

diamants flottaient à la surface, des papillons blancs volettent au-dessus des joncs tels de tout petits elfes, des grillons font entendre leur cri strident et régulier, il règne une tranquillité tremblante.

Nous nous asseyons sur le rebord d'un ponton de bois. Claire est installée entre nous deux, elle tient la main de Paul, nous regardons dans la même direction, un horizon imprécis, les contours flous de la rive opposée, sans parler, émerveillés par la pureté du silence, grisés par le vin blanc de la fête.

Le fleuve coule à nos pieds, lent, majestueux, impressionnant dans son obscurité striée de lune. Le fleuve, encore, tel un point fixe dans nos existences, un repère rassurant.

Nous sommes sujets à une mollesse merveilleuse, une indolence délicieuse. Claire pose sa tête sur mon épaule. Le clapotis d'une barque amarrée non loin de nous rythme cette langueur.

Et puis, soudain, sans que rien ne l'ait laissé présager, Claire se redresse, se met debout et propose une baignade. Nous la dévisageons, interdits, paresseux. Elle comprend rapidement que nous sommes dénués de la moindre volonté, trop imprégnés d'alcool, et trop résolus à ne pas bouger d'un pouce. Elle se déshabille alors devant nous, ôtant d'un geste preste sa robe légère, faisant valdinguer ses sandales, retirant pour finir son soutien-gorge et sa culotte, et se jette entièrement nue dans les eaux faussement placides.

Aucun de nous n'est embarrassé par cet emportement qui va si bien à Claire, qui lui ressemble tant. Ni Paul qui s'est habitué à ses excentricités, ni moi qui sais qu'aucune ambiguïté ne se loge dans cette apparente impudeur.

Cependant, on jurerait que l'air s'est tout à coup chargé d'électricité. Les ondulations de Claire installent une tension érotique. Le ruissellement de l'eau sur le rebond de ses fesses a quelque chose d'incroyablement sensuel. Paul et moi, dans un même mouvement non concerté, nous étendons sur le ponton, ventre contre le bois, avant-bras repliés sous le menton, dans le but de contempler le spectacle qui nous est offert. Je sais que Paul dissimule une érection. Moi, je songe à cet instant de notre jeunesse, au bord du fleuve déjà, où j'ai découvert le sexe d'homme de Paul et je me dis que Claire a réussi l'exploit de s'immiscer dans cette intimité et cela me plaît étrangement.

C'est le moment d'une intense communion. Claire s'amuse à disparaître et à réapparaître, à produire de grands gestes enfantins, mimant la noyade. Des sourires idiots sont accrochés à nos faces. Et puis, elle reprend sa baignade lente et chaloupée. Et nous avons des étoiles dans les yeux.

Quand elle finit par sortir de l'eau et nous

rejoindre, elle se glisse entre nous deux et claque un baiser sur nos lèvres, l'un après l'autre. Des gouttes tombent de sa chevelure, roulent sur ses épaules, dans le creux de son dos. Nous nous endormons peu à peu.

Des années après, je me demande si cette scène a réellement eu lieu ou si je l'ai seulement rêvée.

En octobre, j'ai regagné Oxford et renoué avec la fureur et l'appétit de Julia ; l'aisance et la causticité d'Arthur ; l'effervescence et le laisser-aller du campus. Ce fut ma dernière rentrée. J'allais bientôt admettre que ces quatre années d'études ne m'avaient servi à rien, qu'à passer le temps. Elles ne m'avaient, en aucun cas, dessiné un avenir. Il me faudrait me préparer à vivre d'expédients. En attendant, j'étais résolu à en profiter. C'est ce que j'ai fait.

Pendant ce temps, Claire a emménagé chez les Bruder. Ne souhaitant pas travailler à l'épicerie, elle a décroché un boulot de serveuse à mi-temps au Scrooges. La légendaire gentillesse de Sam s'était une fois de plus vérifiée. Tout s'est ordonné peu à peu, sans à-coups, sans résistance.

Il ne me reste que peu de souvenirs de cette année, comme si elle avait compté pour du

beurre, comme si elle n'avait eu pour fonction
que d'installer le décor.

Si, tout de même : je me suis rendu à New
York pour la première fois. Ce qui m'a
d'ailleurs valu mon baptême de l'air. Julia
m'assurait qu'Oxford était un trou (j'étais
d'accord), que le Mississippi était haïssable
(c'était caricatural), que tout se passait à New
York (ça l'était également) et que nous devions
nous y presser dans le but de rencontrer des
esprits neufs (c'était sensé) et peut-être de nous
y installer (ça l'était moins).

Si j'ai aimé l'architecture, l'allure de la ville,
j'ai été effaré par son désordre, ses débordements, sa démesure. Je me suis rendu compte
que j'étais vraiment un gars du Sud, un
provincial indécrottable, rétif à l'agitation
urbaine, dépassé par le dynamisme intellectuel,
culturel, économique d'une mégapole. Au fond,
même si je m'en plaignais souvent, je ne
détestais pas tant que ça la lenteur et le confor-
misme de l'Amérique profonde.

Bref, ce séjour a viré au désastre. Julia était si
enthousiaste, si outrancière qu'elle en devenait
fatigante. Son emballement et sa mauvaise foi
ont eu raison de ma patience. À New York,
nous avons saisi que nous ne parviendrions
jamais à combler le fossé qui se creusait entre
nous. Et même si notre séparation n'est
intervenue que plusieurs semaines plus tard,

elle s'est jouée dans une chambre d'hôtel du côté de Broadway.

J'avais déjà compris que je retournerais à Natchez, que tel était mon « destin ».

Je n'ai même pas achevé mon année universitaire. Même pas passé les examens de fin de semestre. À quoi bon ? J'étais certain d'échouer.

La décision de rentrer s'est imposée après la rupture avec Julia, laquelle s'est produite en mars. Une rupture par épuisement et par consentement mutuels. Sans cris, sans larmes, sans grandes déclarations. Nous nous sommes contentés de constater le décès de notre couple, d'en prendre acte. Arthur a joué les huissiers avec une dignité impeccable. C'était la fin d'un cycle. Julia allait s'engouffrer dans une autre histoire, toujours portée par son militantisme et son envie d'ailleurs. Arthur allait poursuivre brillamment son cursus. Nous avions toujours su qu'il était le meilleur d'entre nous, qu'il « réussirait », et nous en étions contents. J'allais rentrer « au pays ». Tout était bien. Il n'y avait pas de quoi faire la grimace.

J'ai bouclé mes valises, refermé la porte de ma chambre derrière moi, fait mes adieux sans verser de larmes, sans beaucoup de solennité. J'ai repris, mais en sens inverse, le bus Greyhound qui m'avait amené là quatre ans plus tôt. Sur le trajet du retour, je me suis remémoré les espoirs que j'avais nourris puis déçus. Mais je n'étais pas triste.

J'allais avoir vingt-deux ans, l'Amérique se portait bien, je n'aurais pas de mal à trouver un emploi. On pouvait aussi mener une existence ordinaire dans une ville ordinaire et être heureux. Je n'avais pas l'impression de renoncer à des rêves car je n'en avais pas tellement fait. J'ignorais de quoi je me privais puisque je n'avais pas visité le monde.

Et puis j'allais retrouver Paul.

Et Claire.

J'ai été embauché comme assistant à la bibliothèque municipale. Mon apprentissage de la littérature américaine à l'université avait impressionné favorablement le conservateur. Il s'agissait d'un job plutôt mal payé mais pas éreintant. Bien sûr, il y a plus exaltant que de classer et ranger des livres à longueur de journée mais je n'étais pas bousculé, je pouvais lire les nouveautés qui paraissaient et je suis devenu peu à peu le conseiller des bonnes dames de Natchez, trop heureuses qu'un jeune homme s'occupe d'elles. Car je ne m'y trompais pas : c'est davantage ma jeunesse que mon érudition qui les séduisait.

La bibliothèque fermait ses portes au mois d'août. Je me suis donc retrouvé en vacances deux mois seulement après mon recrutement. Mon entrée dans la vie active s'est effectuée sans douleur. La transition entre ma paresse estudiantine et la tranquillité de mon travail de bibliothécaire s'est faite en douceur. Et puis, je gagnais de l'argent et je n'avais pas de frais puisque je continuais d'habiter chez ma mère. Cette situation ouvrait des possibles, même si je me gardais d'en explorer aucun.

Le soir après le travail, je filais au Scrooges, où Claire me servait une bière. Paul finissait par nous rejoindre, une fois la boutique fermée. Nous menions l'existence de gens rangés, malgré notre jeune âge encore, et cela nous convenait.

Sam avait encore pris du poids et ne bougeait plus du tout de son tabouret derrière la caisse. Son café ne désemplissait pas. Il accueillait toujours des avocats préoccupés, des secrétaires au régime, des étudiants attardés, des poivrots flamboyants. Certains avaient juste quatre ans de plus. Des nouveaux étaient arrivés, qui ressemblaient comme deux gouttes d'eau aux anciens. Nous avions changé de groupe, d'appartenance, cessé de jouer au flipper mais nous étions encore là. Le temps avait passé, sans que nous nous en apercevions vraiment. C'était la vie.

Nous avons, sur la proposition insistante de Claire, pris l'habitude d'aller au cinéma, à trois. Nous nous donnions rendez-vous sur le trottoir, devant l'imposante façade du Strand. (Ou bien, quelquefois, nous prenions la Lincoln et nous nous rendions sur l'esplanade pour les séances en plein air.) Je me souviens d'avoir vu *Qui a peur de Virginia Woolf ?* (et d'avoir été impressionné par cette longue nuit de haine traversée d'amour, à moins que ce ne soit le contraire ?), ou encore *Dans la chaleur de la nuit* (Sidney Poitier vengeait des années de honte). Du Strand, généralement, nous rentrions à pied en échangeant nos impressions sur les films. Claire s'accrochait au bras de Paul. Je grillais cigarette sur cigarette. Je fumais déjà des Kent.

Nous suivions de loin les matchs des Bulldogs, espérant vaguement que Paul Gregory, le coach, renouvelle l'exploit de l'année précédente où l'équipe avait fini première. Espoir déçu.

Il y a des pans entiers de notre destin qui sont peuplés de rien, à propos desquels on n'a rien à raconter des années après, qui ne sont émaillés d'aucun événement, d'aucun accident, qui ne laissent pas de traces. Toutefois, cette vacuité n'est pas synonyme de fadeur, d'insignifiance. C'est un temps apparemment sans relief, mais pas sans saveur, car nous y sommes tranquilles et chanceux, en paix et réjouis. Cette harmonie nous satisfait. Il ne nous manque rien, ou alors nous n'en avons pas idée. Nous n'éprouvons pas de désir particulier, nous ne sommes donc pas sujets à la frustration.

Les derniers mois de 1967 entrent dans cette catégorie.

L'année 1968 allait être exactement à l'opposé de cette sérénité et de cette placidité. Elle a été, assurément, l'année la plus folle, la plus furieuse, la plus violente, la plus éprouvante que nous ayons vécue.

Elle a été, à certains égards, à l'origine de tous les drames qui ont suivi.

C'est encore le respect de la chronologie (même s'il me contraindra à quelques contorsions) qui me fournit le meilleur moyen de la restituer. L'enchaînement des dates fera prendre la mesure de ce qui s'est abattu sur nous, et où se mêlent métamorphoses et tragédies, petite et grande histoire.

Le 31 janvier, la guerre du Vietnam, dont l'ombre planait en permanence sur nous, qui imposait sa présence insidieusement, jour après jour, a surgi dans notre quotidien avec une brutalité inouïe. Ce jour-là, nous avons vu, de nos yeux vu, à quoi ressemblait la barbarie. Impossible d'y échapper. Cette guerre, que nous livrions si loin de nos frontières, sans vraiment comprendre pourquoi, cette guerre simpliste du « monde libre » contre le « monde communiste », est devenue en quelques heures très proche, très charnelle, très claire. Si le danger avait jusque-là paru imaginaire à bon nombre d'entre nous, l'offensive du Têt l'a rendu incroyablement réel. Nous avions conscience de nous enliser dans un combat stérile, périlleux et immoral : nous avons découvert que le sang et les larmes n'étaient pas seulement des mots sous la plume des journalistes. Quand le Viêt-cong a lancé son assaut sur Saigon et que la télévision a retransmis les images presque en direct, nous avons assisté à des dévastations. C'étaient des chars et des camions brûlés, des véhicules renversés, des cadavres gisant au milieu des rues, des enfants blessés enjambés par des soldats en déroute. C'étaient des cris, des bombes qui explosent, des coups de feu qu'on échange, les jardins de notre ambassade saccagés par nos adversaires. En quelques jours, nos troupes ont repris le dessus. Pourtant, cette victoire militaire, à la Pyrrhus, où ont péri plus de deux mille de nos hommes, nous a laissé un goût épouvantable dans la bouche, et des cauchemars pour nos nuits.

Au lendemain de la première offensive, j'ai parlé longuement avec Paul. Je n'ai pas prêté attention aux mots qu'il a prononcés alors et qui me sont revenus en mémoire avec une acuité effrayante quelques mois plus tard : « Nous ne devons pas laisser passer ça. Nous ne devons pas supporter cette humiliation plus longtemps. »

Si notre nation avait mis le doigt, et depuis longtemps, dans un engrenage incontrôlable, ce matin-là, nous sommes, nous, entrés dans une spirale infernale, qui devait nous engloutir.

Le 22 février, j'ai saisi Nancy Gladstone par la taille et nous avons basculé dans son lit. Elle fréquentait régulièrement la bibliothèque. C'est même moi qui lui remplissais sa carte de fidélité. C'est fou comme on apprend sur les gens en regardant de près ce qu'ils lisent. J'ai pensé qu'une fille qui appréciait autant Fitzgerald n'était pas à dédaigner. Le vert de ses yeux et la finesse de ses hanches ont fait le reste. Je n'avais pas caressé une poitrine depuis mon départ de l'université. Cette abstinence commençait à me peser sacrément. Nancy y a mis fin jusqu'à l'automne.

Le 4 avril, un dénommé James Earl Ray, truand médiocre, évadé de prison, a tiré un coup de feu. Après une errance interminable dans les bas-fonds, il s'est rendu à Memphis, dans le Tennessee, là où coule aussi le fleuve au bord duquel nous avons grandi. Il s'est posté devant le motel Lorraine, où régnait beaucoup d'agitation. Il a pris son arme et visé l'homme qui se tenait debout sur le balcon de la chambre 306. Il a tiré un coup de feu, un seul. L'homme à l'autre bout du viseur s'est écroulé dans la seconde et est décédé dans l'heure. Il s'appelait Martin Luther King.

Lorsque la radio a diffusé l'incroyable nouvelle, j'ai instantanément pensé à Julia, et à nos combats passés qui, en définitive, n'étaient pas si dérisoires. Je nous ai revus, défilant sur le campus, sous les sifflets parfois, sous les railleries souvent, et je me suis dit que certains pouvaient regretter de s'être moqués de nous.

Les jours qui ont suivi ont été marqués par des émeutes raciales sans précédent dans tout le pays. La télévision a montré des incendies, des pillages, un désir de revanche. Il m'a semblé apercevoir Julia dans un cortège mais l'image est passée trop vite. J'ai baissé la tête et pleuré.

Le 23 avril, j'ai emménagé sur Jefferson Street. Mon indépendance financière étant désormais assurée, il était temps de disposer de mon indépendance tout court. Et puis, cela pouvait paraître curieux d'habiter encore chez sa mère à presque vingt-trois ans. Paul m'a aidé à transporter mes affaires d'une maison à l'autre. Claire a accepté de faire les boutiques avec moi pour acheter quelques meubles et de l'électroménager. Cette escapade à deux a été un moment charmant. J'ai volontairement tenu ma mère à l'écart de ce chambardement. Je me doutais de la peine qui était la sienne. Je lui ai répété sur tous les tons que ce déménagement ne changeait rien : j'allais habiter tout près, nous nous verrions autant qu'avant, davantage même que lorsque j'étudiais à Oxford. Rien n'y a fait. Même si elle n'en a rien montré, je savais qu'elle vivait ce départ comme un traumatisme, un déchirement, une petite mort.

Le 5 juin, le sénateur Bob Kennedy venait de remporter la primaire de Californie, étape majeure dans le long processus conduisant à la désignation du candidat démocrate à l'élection présidentielle de novembre, et fêtait sa victoire dans les salons de l'hôtel Ambassador à Los Angeles. Mais en quittant l'hôtel par le couloir des cuisines, il a croisé la route d'un Jordanien de vingt-quatre ans, qui a tiré sur lui huit balles à bout portant. Le lendemain, nous avons appris qu'il n'avait pas survécu à ses blessures. Et on nous a assuré qu'il s'agissait là d'un acte gratuit commis par un esprit dérangé.

Je me souviens de ma honte, une honte irrépressible. J'étais frappé, bien sûr, par la malédiction qui s'abattait sur la famille Kennedy et renforçait encore son mythe. J'étais surtout accablé jusqu'au dégoût par le déferlement d'une violence que plus personne ne semblait capable d'endiguer.

Paul m'a dit : « Ce pays est malade. »

C'étaient des mots simples. Et terriblement justes.

Le 6 août, la fête prévue pour notre anniversaire a été annulée au dernier moment. Il pleuvait des cordes, les rues étaient balayées par des rafales, comme cela arrive parfois dans ces contrées où la météo a ses caprices. Le lendemain, lorsque je suis allé me balader sur les bords du fleuve, j'ai remarqué qu'une planche du ponton de bois avait été arrachée. Le vent, sans doute. Le vent trop fort.

Le 28 août, à Chicago, les policiers ont chargé sans aucun ménagement, sans la moindre retenue, les manifestants qui criaient leur opposition à la guerre du Vietnam. Nous avons vu la répression brutale, les matraquages, les assauts contre la jeunesse, les gaz lacrymogènes fusant au sol. Nous avons vu une nation coupée en deux, entendu deux voix discordantes qui évoquaient deux mondes différents. J'ai songé que nous mettrions longtemps à panser nos plaies. Elles saignent encore aujourd'hui.

Le 16 octobre, Tommie Smith et John Carlos, respectivement médaille d'or et médaille de bronze sur 200 mètres aux Jeux olympiques de Mexico, ont dressé vers le ciel leur poing ganté de noir et baissé la tête au moment où retentissait l'hymne américain. Mr. Bruder, qui regardait la cérémonie avec nous à la télévision, s'est levé pour éteindre le poste.

Le 24 octobre, Claire m'a annoncé qu'à son tour elle cherchait une maison dans les environs de Natchez. Elle songeait à s'y installer avec Paul. Comme je lui exprimais mon étonnement de constater que Paul acceptait de quitter la grande demeure familiale et de s'éloigner de l'épicerie, elle m'a indiqué qu'il n'était pas au courant : elle entendait lui en faire la surprise. Je lui ai conseillé d'être prudente. Son homme était un sédentaire et, de surcroît, il détestait être placé devant le fait accompli. Elle m'a assuré qu'elle avait confiance en lui. En eux.

Le 5 novembre, Richard Nixon a remporté, contre toute attente, et avec une avance infime sur son concurrent démocrate, l'élection présidentielle. Il s'est fait élire sur sa promesse de rétablir l'ordre et de trouver les chemins de la paix au Vietnam. Le lendemain, Paul nous a appris que son choix était fait : il s'engageait pour aller défendre notre nation et nos idéaux sur les rivages de la mer de Chine.

Je vous laisse imaginer notre incrédulité et puis notre stupéfaction à tous, l'effarement général, une dévastation. Nous n'avions rien vu venir. Nous ne nous attendions absolument pas à une nouvelle pareille (surtout moi, qui n'avais qu'une frousse : me faire choper par l'armée).

Rétrospectivement, bien sûr, cette résolution nous a paru évidente. Elle prenait ses racines loin, dans son histoire, et dans ses dogmes. Elle avait une certaine logique, une certaine cohérence.

Mais, à l'instant de la révélation, nous étions incapables du moindre raisonnement, de la moindre reconstitution, simplement frappés par la foudre, abasourdis. Notre consternation a été immédiate. Notre intention de le faire renoncer à cette folie s'est formée en une seconde.

Ce sont ses parents qui ont d'abord entrepris de ramener Paul à la raison. Il avait presque miraculeusement échappé à la conscription : l'aîné mort en Corée le préservait d'une telle calamité (tandis que moi, je devais à l'absence d'un père d'être encore épargné sans doute).

Qu'avait-il besoin de s'engager ? Quelle mouche l'avait piqué ? Et puis, il y avait bien assez de soldats sur place, plus de cinq cent mille, qui participaient aux combats.

Le dilemme cornélien des Bruder, c'est qu'ils soutenaient la présence de notre armée au Vietnam. Cette guerre leur semblait juste, morale, nécessaire. Ils ne l'avaient pas clamé haut et fort mais chacun connaissait leurs convictions. Ils avaient toujours exalté la puissance américaine et expliqué qu'il fallait lutter partout et par tous les moyens contre les communistes, les faire reculer, puisque les communistes et le communisme, c'était la même chose : le mal absolu. Ils se trouvaient donc plus que gênés aux entournures. En suppliant Paul de ne pas partir, ils contrevenaient à leurs propres croyances, à leurs principes. Ils devinaient, par ailleurs, qu'ils ne devaient pas être pour rien dans la détermination de leur fils. Soudain, ils s'en voulaient de s'être montrés aussi radicaux. D'appartenir au camp des faucons.

S'ils insistaient autant pour que Paul abandonne son projet, c'était aussi, bien sûr, parce qu'ils avaient déjà perdu un fils à la guerre, dix-huit ans plus tôt, quelque part dans cette même région du monde. On ne leur avait même pas rendu un cadavre. La tombe sur laquelle ils allaient pleurer ne renfermait aucun cercueil. Ils ne supporteraient pas de revivre semblable cauchemar. Ils avaient payé un assez lourd tribut. S'ils étaient restés des bellicistes, c'est précisément parce qu'ils estimaient avoir « donné », avoir accompli leur devoir, une fois pour toutes. Il ne pouvait pas être question de recommencer, de replonger en enfer.

De son côté, Paul, par son geste, entendait justement venger le frère tombé au champ d'honneur. Ce n'était pas son unique « motivation » mais j'étais certain qu'il comptait emporter avec lui, là-bas, dans ces contrées lointaines et hostiles, l'image de Richard, du jeune homme de dix-huit ans fauché par l'ennemi, et dont il était devenu, par la force des choses, l'aîné.

Les Bruder ont fini par abdiquer.

Claire a pris le relais de la contestation. Elle avait d'autres arguments à faire valoir. D'abord, sa surprise douloureuse, sa stupeur. Plus qu'aucun d'entre nous, elle était déboussolée. Elle vivait avec Paul, partageait des jours, ses nuits. Ils avaient sûrement formé des projets ensemble, évoqué l'avenir et voilà que, du jour au lendemain, sans prévenir, sans même envoyer un signal, il choisissait de la quitter, de partir à des milliers de miles d'elle. La plus grande brutalité a été pour elle, sans conteste. La plus grande humiliation aussi. Il s'agissait d'un sacré signe de défiance, que ne contrebalancerait aucune preuve d'amour.

Elle aurait pu prendre ombrage d'un aussi mauvais traitement et se révolter, s'emporter, vouer Paul aux gémonies. Elle a, au contraire, opté pour l'apaisement, la compréhension. Déterminée à le faire revenir sur sa décision, elle a préféré la persuasion amoureuse à l'affrontement. Elle connaissait Paul : il ne servait à rien de l'aborder frontalement. Elle n'aurait réussi qu'à le contrarier un peu plus, qu'à l'ancrer dans sa certitude.

Elle a donc déployé des trésors de diplomatie et utilisé toutes les armes dont dispose une femme aimante. Le seul recours qu'elle s'est interdit, c'est le chantage. Il aurait été facile pourtant de mettre des choses dans la balance : son départ définitif, par exemple. Elle ne l'a pas fait. À l'inverse, elle a assuré Paul de son amour, sans conditions, sans contrepartie.

Elle lui a, tout de même, fait miroiter la perspective d'une union, à laquelle elle songeait de toute façon depuis quelque temps, et très sincèrement. Mais rien n'a ébranlé Paul. Il n'était pas question pour lui de se dédire. On ne prend pas de telles décisions à la légère, répétait-il.

Lorsque Claire a compris que sa lutte était perdue, elle s'est résignée avec une extraordinaire dignité. D'un coup, il y a eu un voile invisible sur son visage, comme sur celui des madones.

Elle a fini par dire à Paul qu'elle l'attendrait. Elle lui a juré fidélité. Il l'a crue.

Moi, je n'ai pas élevé la voix. Je n'ai pas cherché à le dissuader de partir. Je savais qu'il n'y avait rien à tenter. Je n'étais pas plus fort que les autres. Seulement plus clairvoyant.

Il m'a glissé : « Tu ne dis rien, Tom ? C'est toi qui as raison. »

Il a exigé qu'on ne l'accompagne pas jusqu'à sa base, tenu à ce que les au revoir aient lieu à Natchez : ils ont été d'une écrasante sobriété. Lorsque les Bruder ont vu la poussière soulevée par la voiture qui emportait Paul, se sont-ils souvenus de la même image, dix-huit ans plus tôt ? Moi, en tout cas, je m'en suis souvenu avec une aveuglante clarté.

Tout ce que nous avons su après, c'est qu'il s'était envolé pour le Vietnam le 14 janvier 1969. Au moment où s'ouvraient les toutes premières et très incertaines négociations de paix. Le grand reflux se préparait et lui s'avançait vers la débâcle.

De la guerre, j'hésite à parler.

Je ne l'ai pas faite, je n'y étais pas.

Tout ce que je vais en dire n'est donc pas la vérité. Pas la vérité des combats, pas celle de la géographie.

Elle n'est qu'une construction de mon esprit, une histoire supposée ou réécrite, pétrie des récits faits par les hommes qui se trouvaient là-bas, sur place, au plus près des corps suppliciés, et alimentée par les images tremblées que la télévision rapportait.

Elle a également, et peut-être d'abord, surgi des mots de Paul. De ses lettres du front.

Car Paul m'a écrit de nombreuses lettres, postées de Tam Ky, de Quang Ngai, de Kontum. Il y évoquait les combats sporadiques, sa peur, son ennui aussi quelquefois. Il disait l'affût, les heures à écouter, à guetter, à surveiller, en embuscade, les nerfs usés. Il ne dormait presque pas, changeait souvent de position puis restait des jours entiers au même endroit. Il disait qu'il abandonnait des forces, que les soldats étaient épuisés, beaucoup priaient pour rentrer chez eux au plus vite, certains étaient devenus des proches. Il était la vigie d'une guerre perdue, qu'on continuait cependant à livrer, presque par réflexe, par habitude, ou pour que nos replis n'aient pas l'allure d'une humiliation.

Il disait aussi le manque de nous, de Claire et de moi, de ses parents, de Natchez, avec des mots simples, sans jamais s'apitoyer sur son sort. Il répétait qu'il avait choisi d'être là et n'avait, par conséquent, pas le droit de se plaindre.

Que je vous fasse un aveu : entre les lignes, j'ai tout vu.

Les échanges de coups de feu, les batailles de rue, les chars en position, les blindés calcinés, la fumée, le sang sur les trottoirs, les brancards emportant les blessés, les yeux exorbités des cadavres.

La jungle, les hautes herbes, les visages barbouillés, affolés, les uniformes souillés, les membres arrachés, les expressions de la douleur, le calme effrayant de la mort, juste après.

Les B-52 survolant les plages, larguant leurs bombes sur les villages, les hélicoptères rasant les rizières, les forêts décimées au napalm, la terre qui brûle.

Oui, j'ai vu cela, ce bourbier, cette impasse, cette folie, les derniers feux d'artifice d'un carnage. Les images, même recomposées, sont épouvantablement nettes.

Les lettres, je les ai lues attentivement, douloureusement, lorsque je les ai reçues. Et puis, je ne les ai jamais relues. Même aujourd'hui, alors que j'écris ce livre qui ne parle que de Paul, je suis incapable de les relire. Je sais où elles sont rangées. Il suffirait d'ouvrir le tiroir, de décacheter les enveloppes, mais non. C'est au-dessus de mes forces.

Ce ne sont que quelques lettres, me direz-vous.

Sauf qu'elles étaient d'un homme qui était mon ami, et qui risquait sa vie là-bas.

Cela a duré deux années. Un siècle.

Et nous, comment les avons-nous traversées, ces années ? Je dois parler de cela, maintenant. Je ne peux plus reculer. D'autant que j'écris seulement pour en arriver là, à ce qui s'est produit à Natchez pendant ce temps-là, le temps de l'absence de Paul.

D'abord, curieusement, il ne s'est rien passé. Rien du tout. Nous nous sommes, pour ainsi dire, figés. Transformés en statues. Oui, il y a eu cela, très exactement, un engourdissement, une ankylose.

En fait, nous étions rivés dans la position de l'attente. Chaque jour, nous l'avons vécu dans l'attente de ses nouvelles. Nous allions inspecter notre boîte aux lettres tous les matins. Et quand elle était vide, ce qui arrivait le plus souvent, nous interrogions les autres pour savoir si, eux, avaient eu plus de chance. Et, quand nous devions nous contenter du silence et nous résoudre à compter les heures jusqu'au jour d'après, nous allumions la télévision pour regarder les actualités.

Nous avions rendez-vous avec les journaux télévisés. Nous étions à l'affût de toutes les informations qui parvenaient du Vietnam, de tous les reportages. Tout nous était bon à prendre. Tout nous glaçait d'effroi. Tous les discours des politiciens ressemblaient à des mensonges. On nous annonçait un cessez-le-feu pour le lendemain et le lendemain, une nouvelle offensive était lancée. On nous assurait que nous trouverions la paix dans l'honneur et nous n'avions droit qu'aux combats et au déshonneur.

Dans la rue, les gens nous arrêtaient pour nous demander des nouvelles. Cette compassion aurait pu être dégoûtante mais, en réalité, elle nous touchait, nous remuait jusqu'aux entrailles.

Une solidarité s'est forgée entre Claire, les parents de Paul et moi. Nous tâchions de nous épauler, de nous soutenir. C'était autre chose que notre long attachement. C'était un sentiment neuf entre nous. Nous étions les premiers surpris de constater que nous n'avions pas épuisé toute la gamme des sentiments.

Tout de même, quand la nuit venait, il nous semblait être des malades, gisant sur un lit d'hôpital, prisonniers d'un coma.

Nous avons peu à peu appris à vivre avec cette béance, sa défection, sa disparition, son échappée belle. Nous nous y sommes accoutumés.

Notre peur n'a pas disparu pour autant, elle n'a pas perdu en intensité mais nous l'avons domestiquée car, au lieu de nous abattre par moments, elle est devenue diffuse, elle s'est transformée en une compagne familière.

La sensation du manque, elle, est demeurée longtemps très vive, très aiguë. Nous avions la conscience d'être privés de Paul, de ne rien pouvoir tenter pour le faire revenir, d'être réduits à espérer son retour. Et les images du bonheur d'avant son départ étaient capables de nous dévaster à tout instant.

Je ne songeais plus à reprocher à Paul son engagement absurde dans une guerre insupportable. Je n'en étais plus là.

L'hiver a été froid et gris et cotonneux. Le printemps pluvieux et empreint d'une fausse douceur. Au creux de l'été, un homme a posé le pied sur la Lune et cela ne nous a pas intéressés. Je ne me souviens plus de l'automne. Ou plutôt si : les Pink Floyd chantaient et je n'avais pas le courage de les écouter.

Et puis, les choses se sont brutalement accélérées, comme dans un précipité en chimie. On aurait dit que tout s'était mis en place progressivement dans l'attente d'une réaction chimique. Le blanc a subitement viré au rouge.

Vous l'avez compris, nous avions vécu de longs mois entre parenthèses, au ralenti. Pour ma part, j'avais continué à me rendre chaque jour à la bibliothèque, à meubler mon appartement, à faire des visites régulières à ma mère, à m'entretenir avec les Bruder, à croiser Claire au Scrooges ou à l'emmener au Strand voir les films qui sortaient. C'était, du reste, assez irréel d'être écrasé d'incertitude et de persister néanmoins à mener une existence quasi normale et somme toute assez morne. Mais j'y parvenais. Nous y parvenions tous. La vie, c'est cela. Une résignation muette au malheur et un consentement à la facilité.

Ma nouvelle petite amie se prénommait Mary Ann. Elle travaillait à l'hôpital. Ma mère, dont elle était une jeune collègue, s'était chargée de me la présenter (avec une petite arrière-pensée, je crois). Je n'étais pas amoureux de Mary Ann, toutefois sa présence me réconfortait, sa douceur me plaisait. Nous avions chacun notre appartement en ville, même si nous dormions le plus souvent chez moi. Nous ne formions aucun projet et nous nous en satisfaisions. Enfin, moi, je m'en satisfaisais, en tout cas.

Si je parle d'elle et de ce qui remplissait mes jours à cette époque, c'est pour qu'on comprenne que je ne cherchais personne, que je n'attendais rien, ne prévoyant nullement de faire entrer dans ma vie une autre fille ni de bouleverser mon train-train.

C'est pourtant ce qui s'est produit.

Un jour de février 1970, je suis devenu, sans l'avoir prémédité, l'amant de Claire.

C'est arrivé le plus naturellement du monde. Un soir d'une tristesse légère. Un soir où nous avons dîné ensemble, où je lui ai proposé de prendre un verre chez moi, où elle a ôté sa veste, où j'ai embrassé son épaule, voilà.

J'ignore ce qui m'a pris mais, sur le moment, cela m'a paru la chose à faire.

Claire n'a pas montré de résistance, acceptant

que mes lèvres trouvent le chemin des siennes, que nos corps se pressent l'un contre l'autre, que nous basculions sur le canapé.

Je ne me souviens pas qu'il y ait eu une réserve, une hésitation. En revanche, il y a eu de la timidité, de la délicatesse et de la gravité.

Nous nous sommes réveillés, le lendemain matin, enlacés entre mes draps.

Est-ce que ça fait de nous des salauds ?
Oui, bien sûr.

Cette affirmation étonnera peut-être. Après tout, j'avais déjà couché avec de jeunes femmes sans y accorder beaucoup d'importance, et sans que cela porte à conséquence (et la plupart de celles-là en avaient autant à mon compte). Et puis, nous vivions dans une époque libérée, où tout était permis, où nous étions nous-mêmes très attachés à ne rien nous interdire. En conséquence de quoi, j'aurais pu estimer que ma nuit avec Claire constituait une simple aventure, une aventure de plus, et qu'elle n'avait rien d'une transgression. Mais Claire n'était pas n'importe quelle jeune femme. Et, circonstance aggravante, elle était *sa* femme.

Du coup, nous n'avons pas vraiment eu un dilemme à trancher. D'emblée, nous avons compris que nous ne pourrions pas considérer notre étreinte comme un accident, nous dépêcher de l'occulter et ne jamais nous en ouvrir à quiconque. Il n'a pas été difficile non plus d'admettre qu'elle était l'aboutissement d'un processus, et que nous étions réellement amoureux l'un de l'autre.

À ce moment précis, pourtant, nous possédions la faculté théorique de faire marche arrière et de tout effacer. Il nous aurait suffi de vivre avec le souvenir de notre écart, de notre manquement, et nous étions vraisemblablement prêts à nous accommoder de notre mauvaise conscience. Il nous aurait fallu aussi vivre en réprimant notre sentiment, en nous efforçant, chaque jour, de l'empêcher de surgir. Oui, *théoriquement*, nous aurions pu choisir de nous en tenir là. Et ainsi nous n'aurions pas provoqué toute la souffrance qui a suivi. Tous les dégâts. L'irréparable.

Mais c'était plus fort que nous. Car c'était là, en nous, évidemment, depuis longtemps, peut-être même depuis cet automne 61 où nous nous étions rencontrés pour la première fois. Nous l'avions tu, censuré. Et ça jaillissait d'un coup, avec une violence extraordinaire, irrépressible. Même si nous l'avions voulu, je crois que nous n'aurions rien pu arrêter.

Nous sommes restés amants.

Ainsi j'ai poignardé mon meilleur ami dans le dos, lui infligeant la pire bassesse qui se puisse imaginer. J'ai saccagé sans faiblir toutes les années partagées, donné à cette fameuse histoire de fraternité l'allure grotesque d'une imposture, sacrifié tout ce qui nous unissait, franchi une frontière qu'il est impossible de franchir dans l'autre sens. J'ai trahi.

Claire, de son côté, a rompu sa promesse, ne s'est pas montrée assez patiente, assez éprise, a abandonné à son sort celui qui se battait loin de chez lui, a déchiré les serments échangés.

Ensemble, nous sommes devenus les renégats, les monstrueux. Par amour.

Et, à l'instar des vrais scélérats, nous avons décidé de vivre cachés, dissimulés aux regards, dérobés aux jugements. Nous n'éprouvions pas de honte mais nous redoutions l'opprobre, le déferlement de haine et de mépris, les crachats. Et nous estimions qu'il n'était pas nécessaire de blesser les parents de Paul jusqu'au sang.

Enfin, il fallait à cet amour, qui avait accouché dans l'interdit, demeurer dans l'interdit.

Nous avons menti pendant plus d'un an.

Il serait déplacé, peut-être même obscène, d'insister sur le sentiment de culpabilité qui nous a rongés, corrodés tous les deux. Néanmoins nous avons appris ce que signifie l'expression : « être dévoré par un cancer ». Cela ne nous exonère en rien de la faute commise mais jette une lumière un peu moins crue sur ce que nous avons vécu.

Il serait sans doute également scabreux de vous expliquer que nous avons, malgré tout, connu le bonheur, par bouffées (comme on le dit de l'angoisse). Pourtant je tiens à ne pas passer cela sous silence.

Voilà, plus rien n'a existé, que la culpabilité et le bonheur.

Faire confiance.

Je pense souvent à cette expression, ces derniers temps.

Je crois que cela veut dire avoir foi en quelqu'un, être assuré de sa loyauté, de sa fidélité. Et puis aussi, se livrer à lui, sans réserve, sans restriction, sans risque. Voilà, c'est à la fois se reposer sur lui et s'en remettre à lui. Et ne pas douter.

Je crois que c'est lié à un sentiment de sécurité, n'est-ce pas ? Et que ce sentiment est nécessairement réciproque.

Paul me faisait confiance. Il n'avait pas de réticence, il ne se posait pas la question de ma fiabilité. En retour, je l'aimais éperdument. D'un amour très pur, dénué d'ambiguïté, et cependant inébranlable.

Il ne pouvait rien nous arriver. Nous avons vécu longtemps avec la certitude qu'il ne pouvait rien nous arriver.

On dira, si on a du goût pour la chicane, qu'il

s'agissait d'aveuglement, de crédulité, de naïveté. Peut-être. Mais quand bien même. C'était ainsi.

Il commençait une phrase et je la terminais. Il partait dans une direction et je le suivais. Il plongeait dans le silence et je remplissais ce silence. Nous demeurions immobiles et l'espace entre nous était chargé d'ondes.

Ces choses-là s'étaient construites avec le temps. Mais ce n'était pas seulement une affaire de temps partagé. Il y avait autre chose, quelque chose qui nous dépassait, que nous ne maîtrisions pas ; un abandon.

Dans cette histoire de confiance mutuelle, il y avait l'idée que la parole donnée ne serait pas reprise, que l'engagement pris serait tenu, que les serments n'étaient pas des mots en l'air. Nous ne serions jamais parjures. Jamais perfides. C'était une question de droiture, d'honnêteté.

Il y avait aussi la conviction que nous serions toujours là pour l'autre, que nous ne lui manquerions pas, que nous ne lui ferions pas défaut. En cas de coup dur, il pouvait compter sur moi. Dans les instants de vacillement, sa seule présence suffisait à me remettre d'aplomb. Cela relevait de l'évidence, cela procédait d'une loi infaillible.

Alors d'où vient qu'une faille peut, un jour, s'ouvrir ? Une faille minuscule, certes : une fissure d'abord à peine perceptible, un léger décrochement. Mais une faille, malgré tout.

Je me suis beaucoup interrogé sur les origines

d'un tel phénomène. Trop tard. Je n'avais aperçu qu'une trace à la surface, je n'y avais pas accordé d'importance. Quand la fissure s'est finalement ouverte sous nos pas, j'ai compris qu'elle surgissait des profondeurs. À ce moment-là, nous ne pouvions plus rien empêcher.

Des lettres continuaient de nous parvenir du front. Et puis, au début de novembre, elles ont cessé. Quatre mois plus tard seulement, nous avons obtenu une explication à ce mystère.

Le 13 novembre 1970, Paul a été blessé au combat, du côté de Da Nang, pas très loin du 17e parallèle. Il a aussitôt été évacué dans un hôpital militaire mobile où il a reçu les premiers soins. Ses blessures étaient sévères, il avait été touché par plusieurs éclats d'obus. Il est demeuré là plusieurs jours, soigné par les médecins d'une unité volante, avec les moyens du bord, au milieu du fracas, de l'urgence, et des blessés qui arrivaient en grand nombre, dans un flot presque ininterrompu.

Au bout de plusieurs jours, il a été transféré dans un établissement éloigné de la zone des combats, et contrôlé par les troupes américaines. Il a de nouveau été opéré. Il est resté cinq heures sur la table d'opération et plus de sept semaines en convalescence.

Le 12 février 1971, il a définitivement quitté le Vietnam pour être rapatrié aux États-Unis, sur une base de Floride, où il a pu terminer sa convalescence. Pendant toute cette période, il n'a plus donné aucune nouvelle.

Si la séquence est aussi précise aujourd'hui, c'est parce que Paul m'en a fourni les détails après son retour. Je choisis d'en faire le récit avec objectivité et sang-froid. Mais qu'on imagine ce qu'a été notre angoisse, durant ce long black-out, cet interminable silence. Nous sommes passés par tous les stades de l'angoisse. Nous l'avons cru mort plus d'une fois. Nous avons tâché de nous raisonner les uns les autres. De nous soutenir. Nous avons tous flanché, chacun notre tour. Nous avons pesté contre le mutisme buté de l'administration, parce que la colère, c'était de la vie encore. Ces semaines ont été celles du plus profond désarroi, de la plus grande inquiétude, des spéculations les plus folles, des pensées les plus contradictoires, des abattements les plus violents, des remords les plus âpres.

Le 16 mars 1971, un véhicule de l'armée s'est approché lentement du domicile des Bruder. La mère de Paul s'est avancée sur le perron, comme si elle avait senti mystérieusement l'imminence d'un événement. Le militaire qui conduisait est descendu, a fait le tour du véhicule et est allé ouvrir la portière côté passager. Celui qui en est sorti était amputé du bras gauche. La mère a vacillé mais est parvenue à ne pas tomber. Elle a regardé son fils s'approcher. Elle a alors constaté que la moitié du visage avait été mutilée, qu'il ne restait qu'un amas de chairs mortes, recousues à la va-vite. À ce moment-là, elle s'est évanouie.

La nouvelle du retour de Paul s'est propagée telle une traînée de poudre. Dès que j'ai su, j'ai quitté la bibliothèque, accouru à la maison. On tentait de ranimer Mrs. Bruder lorsque j'ai pénétré dans le living. Paul me tournait le dos, penché sur sa mère. Lorsqu'il a pivoté sur lui-même, comprenant au regard de son père que quelqu'un venait d'entrer, j'ai affronté, en une seconde, le spectacle terrible, presque insoutenable, de sa mutilation. Mon expression a été celle de l'effroi, de la stupeur. Je me suis senti pousser un cri, qui s'est coincé dans ma gorge et m'a empêché de parler. Et puis, j'ai pensé : il est vivant. Oui, Paul était vivant et c'était tout ce qui importait. Je me suis avancé vers lui et je l'ai serré contre moi et j'ai pleuré, pleuré à ne plus être capable de m'arrêter.

Claire nous a rejoints une dizaine de minutes plus tard. La nouvelle avait été plus longue à parvenir jusqu'au Scrooges. Elle nous a trouvés tous les deux enlacés. Au départ, elle n'a pas vu à quoi ressemblait Paul parce que je le lui cachais. Elle a donc d'abord été embarrassée par notre étreinte, nos retrouvailles. Lorsque je l'ai aperçue, je me suis écarté. Son tour est venu de découvrir le bras coupé, la face ravagée, l'homme estropié. Elle avait laissé partir un garçon de vingt-trois ans, héroïque et flamboyant ; on lui redonnait un infirme ressemblant à un vieillard. Elle est restée interdite, les bras ballants. Elle n'a pas été fichue de faire le moindre mouvement, de marcher dans sa direction. Et puis, très lentement, elle a placé ses mains devant sa bouche. Ses paupières se sont figées. C'est Paul qui s'est approché d'elle, sans la toucher, et qui a glissé un baiser derrière son oreille.

Plus tard, Claire m'a avoué avoir pensé qu'il aurait mieux valu pour tout le monde qu'il soit mort. Je ne l'ai pas contredite.

Mon silence face à cette déclaration, cette déflagration, ce silence qui était un consentement, continue de me miner, de me consumer. C'est lui qui me tient éveillé, la nuit. Lui, davantage peut-être que tout le reste, est intolérable.

Mais je vais trop vite en besogne.

Au cours de l'automne précédent, Claire et moi avions pris la décision de vivre ensemble, et, par conséquent, celle de tout divulguer à Paul dès son retour. Nous étions conscients que la révélation de ce choix exigerait du courage et causerait des dommages, mais nous n'entendions pas continuer à vivre dans le mensonge et n'avions pas l'intention de sacrifier ce qui nous unissait.

Sa terrible infirmité a radicalement modifié la donne. Elle a rendu pratiquement impossibles les aveux programmés. Par pitié et par lâcheté, nous nous sommes tus.

La pitié et la lâcheté : existe-t-il pires raisons ? et pires sentiments ?

Nous sommes alors entrés dans une période extravagante et éprouvante, où Claire a dû mimer les gestes de l'amour tout en préparant progressivement Paul à l'idée d'une séparation, que son handicap rendrait de toute façon plus douloureuse encore. Nous nous sommes livrés à une comédie méprisable, indécente, simulant éhontément, nous rencontrant en cachette, atteignant un degré de fausseté et d'immoralité rarement égalé. En un mot, nous avons repoussé les limites du sordide.

Je serais capable de fournir des détails, de relater des événements. Si j'y renonce finalement, c'est pour ne pas insulter davantage la mémoire des disparus et pour ne pas triturer mes dérisoires remords.

Une chose est certaine : tout cela ne pouvait que mal finir.

Pendant ce temps, Paul, semblant avoir occulté totalement ses confessions épistolaires, ruminait sa guerre en silence. Il avait décidé de ne pas nous en parler, de ne rien nous en dire mais quelquefois son regard était traversé de fureurs étranges, de douleurs violentes, ou de mélancolie, et nous nous doutions que le souvenir des exactions vécues et peut-être commises remontait à la surface.

Dans ces moments-là, nous aurions probablement aimé qu'il s'exprime, que ça sorte, même si ça devait provoquer des dégâts, mais jamais il n'a dérogé à son mutisme têtu.

En conséquence de quoi, l'air était saturé de mauvaises ondes. Vicié.

Au début de l'année 1972, Claire a cédé, comme cède une digue. Elle a tout avoué. Sans m'en avoir prévenu, au préalable. Ce jour-là, la pression a été trop forte. Le dégoût de soi trop virulent. Le sentiment de la faute trop ravageur. Le bonheur trop cher.

C'est sorti d'elle, sans qu'elle soit en mesure de s'y opposer. C'est sorti comme on vomit, comme on expie.

Paul l'a écoutée, sans ciller, sans répliquer ; son beau visage détruit est demeuré impassible. À la fin, il a seulement glissé : « Je me demandais quand tu te déciderais à me faire cet aveu. Je me demandais lequel de vous deux viendrait le faire. Ce que tu m'annonces, je le sais depuis longtemps. Je le sais depuis le jour de mon retour, depuis la seconde exacte où tu as posé ton regard sur moi. C'était sur toi, l'effroi, la honte, la gêne, et puis aussi la légèreté des femmes amoureuses. C'était immanquable. »

L'après-midi, je me suis rendu chez les Bruder.

Paul somnolait dans un fauteuil à bascule, sur le perron, ce même fauteuil à bascule où son père s'était assis avant lui. Je me suis approché, doucement, avec précaution. Le plancher a craqué sous mes pas. De la maison, nous parvenait l'écho amorti d'un match de base-ball.

Il a ouvert les yeux et dit : « Je t'attendais. »
Moi, je n'avais rien à lui dire. Il était

impossible et dérisoire d'expliquer, impossible et dérisoire de se justifier, de demander pardon. Une faute avait été commise, mais en conscience. Je l'assumais, à ma manière. Des mensonges avaient été entretenus. Je les regrettais, mais il était trop tard. Il restait la trahison. Les traîtres n'ont pas d'excuses à bredouiller.

Paul m'a observé longtemps, de ses yeux tristes et très bleus. Il a observé mon inertie, mes mains amorphes, mon corps trop maigre. Avec son bras arraché, ses chairs mortes, sa face dévastée, il était tellement plus beau que moi. D'une dignité superbe. Il a feuilleté mentalement, j'en suis certain, notre livre d'images. Il l'a refermé, sans bruit.

Je me suis reculé, je suis descendu du perron, j'ai tourné la tête vers le sol, j'ai marché dans la poussière. Je marche encore.

Au matin du 6 juillet 1972, Paul s'est saisi d'une arme à feu.

Un pistolet Smith & Wesson, calibre 38, qu'il avait acheté deux jours plus tôt chez un armurier de Baton Rouge.

Il a glissé le pistolet dans sa bouche, refermé la mâchoire sur le canon et tiré.

Il a tiré sur lui, sur sa vie, sur notre jeunesse.

Et sur le temps qui me reste.

Le malheur, c'est cela, un point c'est tout.

On peut discuter longtemps ; à la fin, il n'y a que cette certitude : le malheur pur, et imbattable, c'est cela.

Je me rappelle la toute première pensée qui m'est venue, lorsqu'on m'a appris la nouvelle : j'ai imaginé le visage déchiqueté.

Tout le visage.

Le sang et les bouts de cervelle contre le mur derrière lui. Le trou dans le crâne qui laisse passer le jour. Le corps gisant contre le carrelage frais.

Je n'ai pas crié, pas pleuré. Je me suis assis devant une rangée de livres et j'ai essayé de faire le vide, de ne penser à rien, au moins quelques secondes, juste pour ne pas succomber à la démence. J'ai respiré profondément, j'ai fait cela, qui est le réflexe des survivants.

Après, toutes les questions qu'il est possible de se poser, je me les suis posées. Toutes, sans exception.

À quel moment a-t-il lâché prise ? À quel moment a-t-il arrêté sa décision ?

N'a-t-il eu qu'une seconde, une toute petite seconde d'un insurmontable découragement ou sa disparition s'est-elle tissée patiemment, inexorablement ?

Qu'a-t-il fait, les derniers jours ? Avait-il évoqué des projets ? Ou s'était-il déjà renfermé, refermé ?

Par son geste, a-t-il voulu nous témoigner quelque chose, nous délivrer un message ? Ou bien cette mort choisie est-elle le plus insondable des mystères ?

A-t-il souhaité en finir avec la mutilation, l'existence diminuée, végétative, la déchéance ?

Lui fallait-il rejoindre Richard dans la cohorte des soldats fourvoyés d'une cause perdue ?

N'a-t-il pas supporté la trahison ? Le manquement des plus proches ? La mise à sac de ce sur quoi il avait bâti sa vie ?

A-t-il cherché à nous épargner ? Ou au contraire à nous hanter pour toujours ?

A-t-il trouvé le repos ?

Et puis, j'ai convenu qu'il ne servait sans doute à rien de chercher à comprendre.

Paul Bruder n'a pas laissé de mot, il ne nous a rien expliqué. Je crois que je préfère encore ce silence. Pour moi, il signifie : on ne meurt pas pour des raisons précises.

Je n'ai pas été autorisé à assister à ses obsèques. J'ai été déclaré *persona non grata*.

J'ai quitté Natchez dès le 7 juillet. Je n'y suis plus jamais revenu.

Ce jour-là, du 7 juillet, le lendemain du drame, j'ai demandé à Claire de me suivre, de partir avec moi, loin de Natchez, de fuir. Elle devait se décider dans l'instant. C'était oui ou c'était non. Il s'agissait d'un choix binaire. Elle n'avait pas à réfléchir. Elle connaissait forcément la réponse à cette question, même sans se l'être jamais posée. Elle a dit non. Sans avoir eu besoin de réfléchir.

Je n'ai jamais revu Claire. J'ignore ce qu'elle est devenue. On m'a rapporté qu'elle s'était mariée. C'est peut-être vrai.

J'ai habité sept villes en deux ans. Des lieux que j'ai occupés, je ne conserve que des images floues, des représentations incertaines. J'ai même égaré les visages, les corps. Pourtant, je sais qu'il y a eu des corps. Des étreintes et des dégoûts. De la solitude à deux. Et de la solitude tout court, lourde, tenace, envahissante. Une quarantaine nomade. Mais, à propos de cette divagation, cette errance, je n'ai rien à raconter. À quoi bon ?

Finalement, l'été dernier, j'ai résolu de me fixer ici, à Portland, Oregon ; loin, très loin du Mississippi.

Depuis la mort de Paul, l'Amérique s'est engluée dans les effluves anesthésiants du Flower Power, a signé une fausse paix au Vietnam et vécu au rythme des révélations scabreuses, scandaleuses du Watergate mais je ne m'en suis pas préoccupé.

Et puis Nixon a annoncé sa démission. Et j'ai commencé à écrire.

Pourquoi ce jour-là précisément ? Je n'en sais rien. Il ne faut y voir aucune signification particulière.

Aujourd'hui, nous sommes le 30 avril 1975. Voici neuf mois que j'écris. Il est temps d'en finir.

Saigon est tombée aux mains des forces communistes, ce matin. À la télévision, Gerald Ford prononce un discours sur les pelouses de la Maison Blanche. Il a l'air d'un honnête homme. Pourtant, je ne peux pas m'empêcher de penser qu'il n'a été élu par aucun d'entre nous, aucun Américain, puisqu'il ne figurait pas sur le ticket républicain qui a remporté les élections de novembre 1972. Je songe que la plus grande démocratie du monde s'est donné pour président un homme qui n'a été élu par personne et qui fait des discours sur les victoires communistes.

Je songe que certaines choses ne tournent pas rond.

Je me lève pour aller éteindre la télévision. Puis je retourne m'asseoir. Je retourne finir le livre.

J'ai accepté mes souvenirs. J'ai compris que je ne devais pas les enfouir, pas les censurer mais, au contraire, les déterrer, les raconter. Je me doutais qu'en accomplissant ce travail je ne m'en délesterais pas ; néanmoins, je peux désormais ne plus être étouffé par eux. J'ai compris que je devais vivre avec eux, plutôt que contre eux. Que, si je voulais demeurer vivant, il me fallait affronter ma culpabilité, ma noirceur et admettre qu'elles n'existent que parce que je possède également de l'innocence, de la lumière.

Mes souvenirs recèlent ce que j'ai de pire. Ils contiennent aussi le meilleur.

L'été sera bientôt là. Et avec lui, mes trente ans.

Par la fenêtre, je vois que les beaux jours reviennent déjà. Mais le soleil de l'Oregon ne brille pas autant que celui de mon enfance.

Et puis, le fleuve me manque parfois. La sensation de l'eau sur la peau nue.

*Ce volume a été composé et mis en pages
par ÉTIANNE COMPOSITION
à Montrouge.*

Cet ouvrage a été imprimé en France par

à Saint-Amand-Montrond (Cher)
en décembre 2008
pour le compte des Éditions Julliard

N° d'édition : 49234/01. — N° d'impression : 083628/1.
Dépôt légal : janvier 2009.